INICIAÇÃO À
UMBANDA

Ronaldo Antonio Linares
Diamantino Fernandes Trindade
Wagner Veneziani Costa

INICIAÇÃO À
UMBANDA

© 2025, Madras Editora Ltda.

Editor:
Wagner Veneziani Costa *(in memoriam)*

Produção e Capa:
Equipe Técnica Madras

Revisão:
Valéria Oliveira de Morais
Pryscila Germini Bilato
Luciane Helena Gomide
Arlete Genari

Dados Internacionais de Catalogação na Publicação (CIP)
(Câmara Brasileira do Livro, SP, Brasil)

Linares, Ronaldo Antonio
Iniciação à umbanda / Ronaldo Antonio Linares,
Diamantino Fernandes Trindade, Wagner Veneziani Costa.
São Paulo: Madras, 2025.
13 ed.

ISBN 978-85-370-0284-1
1. Umbanda (Culto) - História I. Trindade,
Diamantino Fernandes. II. Costa, Wagner Veneziani.
III. Título.
07-7107 CDD-299.60981
 Índices para catálogo sistemático:
 1. Umbanda : Religiões afro-brasileiras

 299.60981

Proibida a reprodução total ou parcial desta obra, de qualquer forma ou por qualquer meio eletrônico, mecânico, inclusive por meio de processos xerográficos, incluindo ainda o uso da internet, sem a permissão expressa da Madras Editora, na pessoa de seu editor (Lei nº 9.610, de 19/02/1998).

Todos os direitos desta edição reservados pela

MADRAS EDITORA LTDA.
Rua Paulo Gonçalves, 88 — Santana
CEP: 02403-020 — São Paulo/SP
Tel.: (11) 2281-5555 — (11) 98128-7754
www.madras.com.br

*Esta obra não é mediúnica, nem psicografada.
É fruto da árdua pesquisa e vivência cotidiana
dos autores nos terreiros de Umbanda e cultos
afro-brasileiros.*

ÍNDICE

Os Autores 11
    RONALDO ANTONIO LINARES 11
    DIAMANTINO FERNANDES TRINDADE 12
    WAGNER VENEZIANI COSTA 13
Apresentação 15
Introdução 17
A Implantação do Espiritismo no Brasil 19
Zélio de Moraes e a Tenda Nossa Senhora da Piedade 21
Raízes do Ritual Umbandista 29
O Caboclo das Sete Encruzilhadas 33
Como Conheci Zélio de Moraes 40
Entrevista com Zélio de Moraes 45
Zélio de Moraes – 66 Anos de Mediunidade 48
O Significado da Palavra Umbanda 51
A Presença do Negro e do Índio na Umbanda 53
A Codificação da Religião Umbandista 60
A Umbanda é uma Religião ou uma Seita? 63
Como Cresce a Umbanda? 66
    IGREJAS VAZIAS? 66
    COMO NASCE UM TERREIRO DE UMBANDA? 66
Sincretismo Religioso 69
Resistência e Candomblé 71

Os Orixás e as Sete Linhas da Umbanda 75
Características dos Filhos dos Orixás 83
    CARACTERÍSTICAS DOS FILHOS DE OXALÁ 83
    CARACTERÍSTICAS DOS FILHOS DE IANSÃ 84
    CARACTERÍSTICAS DOS FILHOS DE COSME E DAMIÃO 85
    CARACTERÍSTICAS DOS FILHOS DE IEMANJÁ 85
    CARACTERÍSTICAS DOS FILHOS DE OXUM 86
    CARACTERÍSTICAS DOS FILHOS DE OXÓSSI 86
    CARACTERÍSTICAS DOS FILHOS DE OGUM 87
    CARACTERÍSTICAS DOS FILHOS DE XANGÔ 88
    CARACTERÍSTICAS DOS FILHOS DE NANÃ BURUQUÊ 89
    CARACTERÍSTICAS DOS FILHOS DE OBALUAIÊ 89
    NOTA EXPLICATIVA 90
As Entidades na Umbanda 91
Saudações aos Orixás e às Entidades 93
Alguns Aspectos da Mediunidade 95
    RESSURREIÇÃO... REENCARNAÇÃO! 95
    ENTÃO, O QUE É MEDIUNIDADE? 96
    AS DIFERENTES FORMAS DE MEDIUNIDADE 98
Mediunidade: Prêmio ou Castigo? 101
Ascensão e Queda de um Médium 105
De Israel a Jesus 107
Magia Negra e os Exus na Umbanda 111
    OS BRANCOS 119
    OS NEGROS 120
    OS ÍNDIOS 120
Autossugestão, Guias Amarrados, Carnaval, Semana Santa e Natal 123
O Dia de Finados e a Umbanda 126
    OFERENDA AOS EXUS E OBALUAIÊ 126
Ritual para Abertura dos Trabalhos 128
Procedimento do Corpo Mediúnico Dentro do Terreiro 132
As Guias na Umbanda 134
O Uso das Velas na Umbanda 137
   A Toalha Ritualística 140
Os Patuás 141
    MAS, AFINAL, O QUE É PATUÁ? 142

PATUÁS DE EXU 143
Banhos – Defumações – Descarregos com Pólvora 144
   DESCARREGOS COM PÓLVORA.. 147
O Amaci... 148
   ROL DAS PLANTAS E FLORES NECESSÁRIAS 149
   EXPLICAÇÕES NECESSÁRIAS 150
   DESENVOLVIMENTO... 150
   NOTA IMPORTANTE... 151
O Abô... 152
   ROL DAS ERVAS NECESSÁRIAS 152
Pemba – Pemba Pilada.. 155
Relação do Material que o Médium Deve Ter Sempre à Mão 157
Pontos Riscados 159
Pontos Cantados... 161
Obrigações na Umbanda 170
   CURIADORES (BEBIDAS DE CADA ORIXÁ)..................... 172
Batismo de Médiuns – Obrigação a Oxalá 173
   ROL DO MATERIAL NECESSÁRIO 173
   ROL DO MATERIAL UTILIZADO PELO PAI ESPIRITUAL 174
Batismo de Crianças na Umbanda 179
O Casamento na Umbanda... 183
   BODAS DE PRATA.. 187
Pompas Fúnebres na Umbanda 188
Trabalho de Desobsessão 191
   COMO SE PROCESSA UMA DESOBSESSÃO?..................... 191
Limpeza Espiritual de Residências e outros Recintos 194
   VIBRAÇÕES NEGATIVAS.. 194
   CASA OU AMBIENTE AINDA NÃO-OCUPADO.................. 195
   CASA QUE JÁ FOI HABITADA 197
O Trabalho de Sacudimento na Umbanda 200
O que Fazer com um "Despacho" em sua Porta? 203
Datas Comemoradas na Umbanda 204
Hino à Umbanda 205
Juramento do umbandista 206
Hierarquia umbandista 207
   O TERREIRO.. 207

OS PASSOS DO MÉDIUM DE INCORPORAÇÃO 207
Aspectos Sociais da Religião Umbandista 209
Jornal *A Caridade* 213
Preces 215
    PRECE DE CÁRITAS 215
    ORAÇÃO AO SENHOR 216
    ORAÇÃO DE SÃO FRANCISCO DE ASSIS 216
    PRECE PARA ABERTURA DOS TRABALHOS 217
Lembrete ao Irmão de Fé 218
Tu Sabes o que é Caridade? 219
Por que sou Umbandista! 220
Luz Divina 221
O Centenário da Umbanda 222
Iniciação 224

Os Autores

RONALDO ANTONIO LINARES

É filho de fé do famoso Babalaô Joãozinho da Goméia, a quem conheceu muito jovem quando dava seus primeiros passos no Candomblé, nos subúrbios do Rio de Janeiro.

Babalaô da Roça de Candomblé Obá – Ilê (digna do autor).
Radialista especializado em programas de divulgação da Umbanda e do Candomblé na Rádio Cacique de São Caetano do Sul, participando dos seguintes programas: "Iemanjá dentro da noite", "Ronaldo fala de Umbanda" e, por quase dezoito anos consecutivos, "Umbanda em Marcha", além da programação diária "Momento de Prece".

Foi o primeiro a mencionar a figura de Zélio de Moraes em jornais de grande circulação em São Paulo como o *Diário do Grande ABC* e o antigo *Notícias Populares*.

É colunista do jornal *A Gazeta do Grande ABC*.

Na televisão, participou durante quase quatro anos do programa "Xênia e você" na TV Bandeirantes. Participou como produtor e apresentador durante seis meses do programa "Domingos Barroso no Folclore, na Umbanda e no Candomblé", programa dominical com duas horas de duração, na TV Gazeta.

Porta-voz oficial do Superior Órgão de Umbanda do Estado de São Paulo (SOUESP), título que lhe foi concedido pelo general Nelson Braga Moreira.

Diretor-presidente da Federação Umbandista do Grande ABC desde novembro de 1974.

Criador do primeiro Santuário Umbandista do Brasil, o Santuário Nacional da Umbanda no Parque do Pedroso em Santo André, São Paulo, com 640 mil m².

Membro permanente da diretoria do SOUESP desde 1970.

Cavaleiro de Ogum, honraria que lhe foi concedida pelo Círculo Umbandista do Brasil.

Em 15 de novembro de 2005, foi agraciado com a medalha Zélio de Moraes pelo Instituto Cultural de Apoio às Religiões Afro.

Ronaldo Antonio Linares considera a maior honraria de sua vida ter conhecido em vida e privado da amizade do senhor Zélio Fernandino de Moraes, Pai da Umbanda, considerando-se filho espiritual de sua filha Zilméia Moraes da Cunha.

DIAMANTINO FERNANDES TRINDADE

É professor de História da Ciência do Centro Federal de Educação Tecnológica de São Paulo e Química Ambiental da Universidade Cidade de São Paulo, além de Mestre em Educação pela Universidade Cidade de São Paulo e Doutor em Educação pela PUC-SP.

Autor de livros sobre Educação e Ciências: *A História da História da Ciência, Temas Especiais de Educação e Ciências, O Ponto de Mutação no Ensino das Ciências, Os Caminhos da Educação e da Ciência no Brasil* e outros.

E, também, de livros sobre Umbanda: *Umbanda e Sua História, Umbanda – Um Ensaio de Ecletismo, Iniciação à Umbanda* e outros.

Filho de fé do Babalaô Ronaldo Antonio Linares.

Foi médium do Templo de Umbanda Ogum Beira-Mar, dirigido por Edison Cardoso de Oliveira, durante nove anos.

Vice-presidente da Federação Umbandista do Grande ABC no período de 1985 a 1989 e membro do Conselho Consultivo do Superior Órgão de Umbanda do Estado de São Paulo no mesmo período.

Relator do Fórum de Debates "A Umbanda e a Constituinte", realizado na Assembleia Legislativa de São Paulo, em 1988.

Foi colunista do jornal Notícias Populares, escrevendo aos domingos sobre a história e os ritos da Umbanda.

Pesquisou os cultos da Umbanda e do Candomblé em diversos terreiros brasileiros, visitando várias vezes a Tenda Nossa Senhora da Piedade e a Cabana de Pai Antonio, onde conviveu com Zélia de Moraes Lacerda e Zilméia de Moraes Cunha.

Durante sete anos, dirigiu o Templo da Confraria da Estrela Dourada do Caboclo Sete Lanças.

WAGNER VENEZIANI COSTA, brasileiro, nasceu em 25 de agosto de 1963. É virginiano com ascendente em Virgem e Lua em Escorpião. Em 31 de agosto de 1991, casou-se com Sonia Veneziani Costa. Desta união, nasceram suas duas filhas: Barbara Veneziani Costa (Saraswatti) e Giovanna Lakshimi Veneziani Costa. É Bacharel em Direito, formado nas Faculdades Metropolitanas Unidas (FMU/SP). Cursou Administração, Economia e Contabilidade na Faculdade Osvaldo Cruz (Incompleta). Como jornalista (MTB 35032), foi Secretário do Conselho Deliberativo da Associação dos Profissionais de Imprensa de São Paulo (APISP).

Em sua trajetória, participou de diversos cursos: Inglês, por quatro anos, no CCAA; Curso de Constitucionalista, pelo Instituto Pimenta Bueno; Marketing e Planejamento, pela Fundação Getulio Vargas (FGV); E-Business, pela ADMB, e Oratória.

Desde sua juventude, Wagner Veneziani Costa demonstrou interesse em se aprofundar nos estudos das questões ligadas à espiritualidade, em seu sentido amplo. Daí, tornou-se Mestre Terapêutico (CRT 31626). É Mestre Reiki, estando plenamente capacitado a iniciar nos níveis I, II e III, nos sistemas Tradicional, Japonês, Usui, Tibetano, Osho e Kahuna. Também cursou Reflexologia, Cromoterapia, Quiromancia e Quirologia, Numerologia, Shiatsu, Massagem Psíquica e Tarô.

Sua principal atividade é a de presidente e editor-geral da Madras Editora, mas é atuante em diversas atividades paralelas.

Em 1994, por exemplo, ingressou na Maçonaria (GOB) e a partir daí atuou como Mestre de Cerimônias (1995), Orador (1997), Deputado Federal (1999), chegando a Mestre Instalado em 2001; Venerável da Loja Madras nº 3359; Recebeu a honraria de Garante de Amizade (Ancient Free and Accepted Masons of Texas), honraria esta conferida pela The Grand Lodge of Texas, em 27 de agosto de 2002. É Membro Correspondente da Loja de Pesquisas Maçônicas Quatuor Coronati Lodge nº 2076 (Inglaterra). É Past Terceiro Grande Principal do Supremo Capítulo do Arco Real do Brasil e foi Grão--Mestre da Grande Loja de Mestres Maçons da Marca do Brasil. É Membro Efetivo do Supremo Conselho do Grau 33 do REAA da República Federativa do Brasil e portador da maior comenda do Grau 33, Medalha Montezuma. Foi Secretário Geral de Planejamento do GOB (2008-2013). Atualmente é Grão-Mestre do Grande Priorado do Brasil das Ordens Unidas Religiosas, Militares e Maçônicas do Templo e de São João de Jerusalém, Palestina, Rodes e Malta e Grão--Prior e Grão-Mestre Nacional da Ordem dos Cavaleiros Benfeitores da Cidade Santa – CBCS.

Em 1995, passou a fazer parte da Fraternidade Rosa Cruz — Amorc e da T.O.M. (Tradicional Ordem Martinista). Foi membro da Ordo Templi Orientis (OTO), tornando-se Frater, e recebeu seu nome oculto provindo de Vênus (Fiat W Lux 11), sendo desta forma um Guardião da Luz. Foi batizado no Hinduísmo, também recebendo seu verdadeiro nome, e tem Ganesha como sua grande Deidade. É Xamã, iniciado em Machu Picchu, no ano de 1998, convivendo com os Feiticeiros Incas durante 21 dias na floresta. Estuda Feitiçaria, Bruxaria entre outras ciências Herméticas e Ocultas.

Por sua frequente ação participativa em diversos segmentos, Wagner Veneziani Costa recebeu várias láureas, dentre as quais se destacam: Grã-Cruz, pela Ordem Civil e Militar Cavaleiros do Templo — 1996; Grau de Comendador, pela Associação Brasileira de Arte, Cultura e História — 1998; Grau de Comendador, pela Soberana Ordem de Fraternidade Universal — 1999; Grão-Mestre de Cultura, pela Sociedade de Estudos de Problemas Brasileiros. É, ainda, Baba Elegan — Cargo espiritual. Em 2003, passou a ser Membro do Ilustre Conselho Estadual do GOSP e foi empossado como Grande Secretário de Cultura e Educação Maçônicas do Grande Oriente de São Paulo (Gestão 2003/2007). É membro honorário de 118 Lojas Maçônicas e Venerável de Honra. É portador da Comenda Gonçalves Ledo, do GOSP.

Foi nomeado vice-presidente da Academia Maçônica Paulista de Letras; É membro da Academia de Artes, Ciência e Cultura do Grande Oriente do Brasil – GOB e foi diretor da Câmara Brasileira do Livro (CBL).

Membro regular das Grandes Lojas Brasileiras, Oriente de Rio Grande do Norte, Loja Cidade do Sol nº 25.

Oriente de Pernambuco, Lojas Bandeirantes da Ordem, nº 37 e Cleuza Veneziani Costa nº. 05 - FUNDADOR E VENERÁVEL DE HONRA.

Oriente do Pará, Loja Cosmopolita, nº2.

As lojas dos demais orientes por segurança não serão citadas...

Aos 16 anos, Wagner Veneziani Costa já mostrava ser um escritor nato, pois em tenra idade já discorria sobre os mais variados temas. Logo, tornou-se escritor permanente e é autor de diversas obras, das quais podemos mencionar: *Arqueômetro* — Comentários e adaptação; *Contratos — Manual Prático e Teórico*; *Exame de Ordem*; *Dicionário Jurídico*; *Cálculos Trabalhistas*; *Lei do Inquilinato* — Comentários; *Código do Consumidor* — Comentários; *Inventário e Partilha*; *Direito Falimentar*; *Direito Civil — Perguntas e Respostas*; *Lições de Tai Ji Jian — Com Espada*; *Modelos de Contrato, Recibos, Procurações e Requerimentos*; *Filosofia Americana*; *Almas Gêmeas*; *Aromaterapia — A Magia dos Perfumes*; *Diário de Magia*; *Pompoarismo e Tantrismo*; *O Livro Completo dos Heróis Mitos e Lendas* — Compilação; *Iniciação à Umbanda*; *Orixás na Umbanda e no Candomblé; Os Sete Mestres da Grande Fraternidade Branca; Mahabharata — Poema Épico Indiano*; *O Mundo Encantado dos Orixás*; *Tarô do Cigano* — com 36 cartas coloridas; *Tarô Encantado dos Gnomos*; *Tarô dos Anjos; Maçonaria — Escola de Mistérios — A Antiga Tradição e Seus Símbolos; Além do que se Ouve;* e *Palavras de Sabedoria*. Não podemos deixar de mencionar o sucesso estrondoso do *Manual Completo para Lojas Maçônicas*.

Em breve, os leitores tomarão contato com outras obras de autoria de Wagner Veneziani Costa, as quais se encontram no Prelo. São elas: *A Antiga Franco-Maçonaria — Rituais e Cerimônias; A Maçonaria Mística — Visão Esotérica e Oculta; Iniciação Maçônica* e *Guia de Magia e Bruxaria*.

Mantém um blog: <u>oeditor.madras.com.br</u>.

APRESENTAÇÃO

A Madras Editora traz até você uma obra que fez muito sucesso entre os umbandistas e adeptos dos cultos afro-brasileiros nas décadas de 1980 e 1990. Ao relançar este livro, a Madras dá prosseguimento a uma de suas propostas: o resgate de obras importantes, que não estavam disponíveis aos leitores. Esta obra tem como objetivo mostrar as origens da Umbanda, as raízes de seu ritual, suas práticas etc.

Ronaldo Antonio Linares, Diamantino Fernandes Trindade e eu trilhamos um caminho que abre novos horizontes para a religião umbandista, uma vez que, das centenas de trabalhos já editados, nada há de comparativo com este livro.

Em 1972, Ronaldo Antonio Linares teve seu primeiro contato com o pioneiro da Umbanda, Zélio Fernandino de Moraes, que lhe fez revelações até então desconhecidas da maioria dos umbandistas. Suas dúvidas sobre os rituais praticados nos milhares de terreiros foram sendo elucidadas e, desde então, vem trazendo aos adeptos e simpatizantes da religião todos os seus conhecimentos. Foi o primeiro a escrever sobre o médium do Caboclo das Sete Encruzilhadas em vários jornais de grande circulação do Brasil. Diamantino Fernandes Trindade escreveu, em 1983, uma monografia sobre os aspectos históricos e sociais da Umbanda no Brasil no curso de pós-graduação em Estudos Brasileiros da Universidade Mackenzie e, a partir daí, passou também a escrever sobre o assunto em diversos veículos de comunicação, propagando os ensinamentos de seu mestre. Parabéns, caro leitor! Você está de posse de uma obra que é um marco para a Umbanda. A vivência dos autores está à sua disposição para elucidar questões cotidianas dos milhares de terreiros espalhados por este imenso Brasil.

Wagner Veneziani Costa

Introdução

Nos últimos cinquenta anos, a Umbanda teve um crescimento bastante significativo em termos de adeptos e de templos.

O Censo do IBGE, de 2000, mostra que existem, no Brasil, 432 mil umbandistas. Esse número não condiz com a verdade, pois a maioria dos umbandistas se declara católico ou espírita. Estudos particulares das federações umbandistas estimam em 40 milhões o número de adeptos no Brasil. A Umbanda tem se propagado por intermédio de vários países, tais como Argentina, Uruguai, Paraguai, Portugal, Estados Unidos, etc. Várias convenções umbandistas costumam lotar o estádio do Penharol, em Montevidéu, no Uruguai. Na Argentina e no Uruguai, é necessário uma prova de filiação a alguma entidade oficial de culto no Brasil para se conseguir licença de funcionamento. Isso ocorre pelo fato de as autoridades argentinas e uruguaias considerarem a Umbanda como uma "religião brasileira".

A primeira tenda de Umbanda, Tenda Nossa Senhora da Piedade, fundada pelo médium Zélio de Moraes e seu guia espiritual, o Caboclo das Sete Encruzilhadas, foi a pedra fundamental para a criação de novas tendas que rapidamente se espalharam pelo Brasil e outros países. Porém, esse crescimento nem sempre foi acompanhado pela organização e normas determinadas por esta portentosa entidade. Nesta obra, Ronaldo, Diamantino e Wagner mostram, de forma clara, como devem proceder os chefes de terreiro, seus médiuns e adeptos para que a Umbanda possa ser praticada de uma forma simples e eficiente, deixando de lado os dogmas, as fantasias e os delírios que muitas vezes fazem parte do cotidiano dos terreiros.

A vivência e a dedicada pesquisa dos autores estão disponíveis nesta obra para todos aqueles que desejarem seguir as verdadeiras e preciosas orientações do Caboclo das Sete Encruzilhadas e de seu médium, Zélio Fernandino de Moraes.

A Implantação do Espiritismo no Brasil

A era espírita é marcada oficialmente pela publicação, em 18 de abril de 1857, do *Livro dos Espíritos*. Esse livro se apresentava como o código de uma nova fase da evolução humana.

Allan Kardec,* nascido a 3 de outubro de 1804 na cidade de Lion, França, serviu como intermediário para as primeiras manifestações do plano espiritual. Sobre o *Livro dos Espíritos,* erguia-se um edifício: o da doutrina espírita. O Espiritismo surgiu e se propagou com ele.

O Brasil recebeu como herança do período colonial, uma formação católica. A pressão exercida pela Igreja Católica Romana não permitia a livre manifestação dos seguidores de outras crenças religiosas ou de livres-pensadores. Só nos últimos tempos a nossa sociedade permitiu uma certa liberdade de crença.

Na segunda metade do século XIX, encontramos os senhores do café tendo à sua disposição os vastos recursos proporcionados pela multiplicação das imensas fortunas obtidas com a lavoura do café. Essas fortunas cresciam largamente no Vale do Paraíba (eixo São Paulo-Rio). Surgiram então os novos ricos que se regalavam com viagens, em confortáveis vapores, aos mais importantes centros culturais e recreativos da Europa, destacando-se Paris que, após a Revolução Francesa, tornara-se o maior centro cultural do mundo. Revolução esta que permitiu a liberalização das ideias, livrou a

---

*N.E.: Sugerimos a leitura de *Resumo Analítico das Obras de Allan Kardec*, de Florentino Barrera, Madras Editora.

França da pressão da Igreja tradicional e reconheceu a liberdade de crença para todo ser humano.

Dessa maneira, alguns médiuns puderam começar a procurar respostas para as suas dúvidas depois de tomar conhecimento das experiências vividas por Allan Kardec, com a possibilidade de comunicação com os espíritos dos mortos.

A nossa sociedade absorvia rapidamente todas as novidades vindas da França tais como moda, ciência, perfumaria, etc. Uma dessas novidades eram os fenômenos espíritas.

Sendo assim, a princípio, o Espiritismo foi praticado pela sociedade aristocrática, fato que não necessariamente ocorria na Europa.

No Brasil, o Espiritismo tornou-se rapidamente preconceituoso e pedante. Quem, em vida, não tivesse sido importante não possuia o direito de se manifestar nas chamadas sessões espíritas (mesas brancas). Isso se justifica, pois as famílias que defendiam as doutrinas de Allan Kardec haviam se beneficiado do trabalho escravo e suas fortunas eram, não raras vezes, conseguidas a custa do sangue de um povo negro que eles haviam aprendido a renegar e desprezar. Por isso, em uma mesa kardecista, um médium que incorporava um Preto-Velho era de imediato convidado a se retirar da sessão, acusado de praticar baixo espiritismo.

Estávamos em 1908 e esse era o quadro geral do Espiritismo de então, no Brasil.

ZÉLIO DE MORAES E A TENDA NOSSA SENHORA DA PIEDADE

Quando do primeiro contato de Ronaldo Linares com Zélio de Moraes, em 1972, este lhe narrou como tudo começou.

Em 1908, o jovem Zélio Fernandino de Moraes estava com 17 anos e havia concluído o curso propedêutico (equivalente ao atual Ensino Médio). Zélio preparava-se para ingressar na Escola Naval, quando fatos estranhos começaram a acontecer.

Às vezes, ele assumia a estranha postura de um velho, falando coisas aparentemente desconexas, como se fosse outra pessoa e que havia vivido em outra época. Em certas ocasiões, sua forma física lembrava um felino lépido e desembaraçado que parecia conhecer todos os segredos da Natureza, os animais e as plantas.

Esse estado de coisas logo chamou a atenção de seus familiares, principalmente porque ele se preparava para seguir carreira na Marinha, como aluno oficial. As coisas foram se agravando e os chamados "ataques" repetiam-se cada vez com maior intensidade. A família recorreu então ao médico dr. Epaminondas de Moraes, tio de Zélio e diretor do Hospício de Vargem Grande.

Após examiná-lo e observá-lo durante vários dias, reencaminhou-o à família, dizendo que a loucura não se enquadrava em nada do que ele havia conhecido, ponderando ainda que seria melhor levá-lo a um padre, pois o garoto mais parecia estar endemoninhado. Como acontecia com quase todas as famílias importantes, também havia na família Moraes um padre católico. Por meio desse sacerdote, também tio de Zélio, foi realizado um exorcismo para livrá-lo daqueles incômodos. Entretanto, nem esse, nem os dois outros exorcismos realizados posteriormente, inclusive com a participação de outros sacerdotes católicos, conseguiram dar aos Moraes o tão desejado sossego, pois as manifestações prosseguiram, apesar de tudo.

Depois de um certo tempo, Zélio passou alguns dias com uma espécie de paralisia, quando, repentinamente, se levantou e se sentiu completamente curado. No dia seguinte, voltou a caminhar como se nada tivesse ocorrido. Sua mãe, Dona Leonor de Moraes, levou-o a uma curandeira, muito conhecida na região, Dona Cândida, que incorporava o espírito de um Preto-Velho chamado Tio Antonio. Essa entidade conversou com Zélio e fazendo suas rezas disse-lhe que possuía o fenômeno da mediunidade e deveria trabalhar para a caridade. O pai de Zélio, sr. Joaquim Fernandino Costa, apesar de não frequentar centros espíritas, já era um adepto do Espiritismo, fazendo muitas leituras desse gênero. No dia 15 de novembro de 1908, por sugestão de um amigo de seu pai, Zélio foi levado à recém-fundada Federação Espírita de Niterói, município vizinho àquele onde residia a família Moraes, ou seja, Neves. A Federação era, então, presidida pelo senhor José de Souza (conhecido como Zeca, segundo palavras de Zélio), chefe de um departamento da Marinha chamado Toque-Toque.

O jovem Zélio foi conduzido à mesa pelo senhor José de Souza e, tomado por uma força estranha e alheia à sua vontade, levantou-se e disse: *Aqui está faltando uma flor*. Saiu da sala em direção ao jardim, voltando logo a seguir com uma flor que colocou no centro da mesa. Essa atitude causou um grande tumulto entre os presentes principalmente porque, ao mesmo tempo em que isso acontecia, ocorreram surpreendentes manifestações de Caboclos e Pretos-Velhos. O diretor da sessão achou aquilo tudo um absurdo e advertiu-os, com aspereza, citando o "seu atraso espiritual" e convidando-os a se retirarem. O senhor José de Souza, médium vidente, interpelou o espírito manifestado no jovem Zélio e foi, aproximadamente, este o diálogo ocorrido:

Sr. José: Quem é você que ocupa o corpo deste jovem?

O espírito: Eu sou apenas um caboclo brasileiro.

Sr. José: Você se identifica como um caboclo, mas eu vejo em você restos de vestes clericais.

O espírito: O que você vê em mim são restos de uma existência anterior. Fui padre, meu nome era Gabriel Malagrida e, acusado de bruxaria, fui sacrificado na fogueira da Inquisição por haver previsto o terremoto que destruiu Lisboa, em 1775. Mas, em minha última existência física, Deus concedeu-me o privilégio de nascer como um caboclo brasileiro.

Sr. José: E qual é o seu nome?

O espírito: Se é preciso que eu tenha um nome, digam que eu sou o Caboclo das Sete Encruzilhadas, *pois para mim não existirão caminhos fechados*. Venho trazer a Umbanda, uma religião que harmonizará as famílias e que há de perdurar até o fim dos tempos.

No desenrolar dessa "entrevista", entre muitas outras perguntas, o senhor José de Souza interrogou se já não bastavam as religiões existentes e fez menção ao Espiritismo, então praticado, e foram estas as palavras do Caboclo das Sete Encruzilhadas:

Deus, em sua infinita bondade, estabeleceu na morte o grande nivelador universal. Rico ou pobre, poderoso ou humilde, todos se tornam iguais na morte, mas vocês homens preconceituosos, não contentes em estabelecer diferenças entre os vivos, procuram levar essas mesmas diferenças até mesmo além da barreira da morte. Por que não podem nos visitar esses humildes trabalhadores do espaço, se apesar de não haverem sido pessoas importantes na Terra, também trazem importantes mensagens do além? Por que o não aos Caboclos e Pretos-Velhos? Acaso não foram eles também filhos do mesmo Deus?

A seguir, fez uma série de revelações sobre o que estava à espera da humanidade:

Este mundo de iniquidades mais uma vez será varrido pela dor, pela ambição do homem e pelo desrespeito às leis divinas. As mulheres perderão a honra e a vergonha, a vil moeda comprará carateres e o próprio homem se tornará efeminado. Uma onda de sangue varrerá a Europa e quando todos pensarem que o pior já foi atingido, uma outra onda, muito pior do que a primeira, voltará a envolver a humanidade e um único engenho militar será capaz de destruir, em segundos, milhares de pessoas. O homem será uma vítima de sua própria máquina de destruição.

Prosseguindo diante do senhor José de Souza, disse ainda o Caboclo das Sete Encruzilhadas:

Amanhã, na casa onde o meu aparelho mora, haverá uma mesa posta a toda e qualquer entidade que queira se manifestar, independentemente daquilo que haja sido em vida, todos serão ouvidos e nós aprenderemos com aqueles espíritos que souberem mais e ensinaremos aqueles que souberem menos e a nenhum viraremos as costas nem diremos não, pois esta é a vontade do Pai.

Sr. José: E que nome darão a esta igreja?

O Caboclo: Tenda Nossa Senhora da Piedade, pois da mesma forma que Maria amparou nos braços o filho querido, também serão amparados os que se socorrerem da Umbanda.

A denominação de "Tenda" foi justificada assim pelo Caboclo: Igreja, Templo, Loja dão um aspecto de superioridade enquanto Tenda lembra uma casa humilde. Ao final dos trabalhos, o Caboclo das Sete Encruzilhadas pronunciou a seguinte frase: *Levarei daqui uma semente e vou plantá-la nas Neves, onde ela se transformará em árvore frondosa.*

O senhor José de Souza fez ainda uma última pergunta: "Pensa o irmão que alguém irá assistir o seu culto"? Ao que o Caboclo respondeu: *Cada colina de Niterói atuará como porta-voz anunciando o culto que amanhã iniciarei.*

No dia seguinte, na rua Floriano Peixoto, n° 30, em Neves, município de São Gonçalo, estado do Rio de Janeiro, o Caboclo baixou. Na sala de jantar da família Moraes, às 20h do dia 16 de novembro de 1908, um grupo de curiosos kardecistas e dirigentes da Federação Espírita de Niterói estavam presentes para ver como seriam essas incorporações, para eles indesejáveis ou injustificáveis.

Logo após a incorporação, o Caboclo foi atender um paralítico, curando-o imediatamente. Várias pessoas doentes ou perturbadas tomaram passes e algumas se disseram curadas. O diálogo do Caboclo das Sete Encruzilhadas, como passou a ser chamado, havia provocado muita especulação e alguns médiuns que haviam sido banidos das mesas kardecistas, por haverem incorporado Caboclos, Crianças ou Pretos-Velhos, solidarizaram-se com aquele garoto que parecia não estar compreendendo o que lhe acontecia e que de repente se via como líder de um grupo religioso, obra essa que só terminaria com a sua morte, mas que suas filhas Zélia de Moraes e Zilméia de Moraes prosseguiram com o mesmo afã. Dona Zélia desencarnou em 1997 e Dona Zilméia, atualmente com 93 anos, continua sua tarefa mediúnica na Cabana de Pai Antonio.

No final dessa reunião, o Caboclo ditou certas normas para a sequência dos trabalhos, inclusive atendimento absolutamente gratuito, uso de roupas brancas simples, sem o uso de atabaques, nem palmas ritmadas, sendo os cânticos baixos e harmoniosos. A esse novo tipo de culto que se estruturava nessa noite, ele denominou de Umbanda, que seria *a manifestação do espírito para a caridade.* Posteriormente, reafirmou a Leal de Souza que Umbanda era uma linha de demanda para a caridade. Deve-se ressaltar que inicialmente o Caboclo chamou o novo culto de Alabanda, mas, considerando que não soava bem a sua vibração, substituiu-o por Aumbanda, ou seja, Umbanda.

O seu ponto cantado reflete a dimensão da sua missão:

Cheguei, cheguei com Deus
Lá da Aruanda
Trazendo a Luz da Umbanda
Cheguei, cheguei com Deus
Lá da Aruanda
Trabalhador da madrugada

*Eu sou Caboclo
Caboclo das Sete Encruzilhadas*

Leal de Souza, poeta, escritor e jornalista, foi dirigente da Tenda Nossa Senhora da Conceição, considerada por José Álvares Pessoa, uma das tendas mestras. Numa entrevista publicada no *Jornal de Umbanda,* em outubro de 1952, relatou: *A Linha Branca de Umbanda é realmente a Religião Nacional do Brasil, pois que, pelos seus ritos, os espíritos ancestrais, os pais da raça, orientam e conduzem suas descendências. O precursor da Linha Branca foi o Caboclo Curuguçu, que trabalhou até o advento do Caboclo das Sete Encruzilhadas que a organizou, isto é, que foi incumbido pelos guias superiores, que regem o nosso ciclo psíquico, de realizar na Terra a concepção do Espaço.*

O ponto cantado do Caboclo Curuguçu mostra a sua tarefa de preparar o terreno para a grande missão do Caboclo das Sete Encruzilhadas:

*Eu vem lá da Aruanda
Trazendo a Luz, a Luz da Umbanda
Eu vem com o clarim de Ogum
Anunciar que a Umbanda vai chegar*

*Eu é Caboclo de Umbanda
Eu venho do Cruzeiro do Sul
Eu é Caboclo Curuguçu*

*Meu grito já ecoou
É a Umbanda que chegou
Meu grito ecoou
Pai Oxalá quem me mandou*

*Eu é Curuguçu
Da corrente de Ogum
Que aqui chegou*

A história encarregou-se de mostrar e provar a exatidão das previsões do Caboclo das Sete Encruzilhadas. As duas guerras mundiais, as bombas atômicas lançadas sobre Hiroshima e Nagazaki e a grande degeneração da moral. O poder do dinheiro e o total desrespeito à vida humana são provas incontestáveis do poder de clarividência do Caboclo das Sete Encruzilhadas.

A comprovação da existência do frei Gabriel Malagrida pode ser feita no livro: *Eubiose: A Verdadeira Iniciação,* de Henrique José de Souza, publicado em 1978 pela Associação Editorial Aquarius, Rio de Janeiro.

Podemos ainda obter mais detalhes sobre ele no livro *História de Gabriel Malagrida,* de Paul Mury, publicado em edição de 1992 pelo Istituto

Figura 1: Retrato de Gabriel Malagrida

Italiano di Cultura. Esse livro foi traduzido da edição francesa de 1865 por Camilo Castelo Branco que também prefaciou a obra.

A Tenda Nossa Senhora da Piedade é reconhecida hoje como a primeira Tenda de Umbanda, e a data de 15 de novembro é considerada a data oficial de fundação da Umbanda.

Ronaldo Linares fez seu primeiro contato com Zélio de Moraes, em 1972. Antes disso, em 1969, o pesquisador norte-americano David St. Claire fez a mesma descoberta em sua pesquisa no Brasil, como pode ser visto em seu livro *Drums and Candles* (Tambores e Velas) editado por Doubleday and Company, Inc. – Garden City, New York (1971). A seguir, mostramos um trecho desse livro, bem como a sua tradução.

The man usually given the credit for organizing Umbanda is Zélio de Moraes. He was tall and blond and whit-skinned. He was raised a Catholic but constantly bothered with possessed by the spirit of a Brazilian Indian half-breed named Caboclo of Seven Crossroads. Caboclo was part Negro and part Indian. He was in direct comunication with the African spirits of the Candomblé and also on excellent terms with the spirits of the local Indians. The people who came to

Zélio for consultation believed everything said, for after all, he was one of them. He was not the ghost of just any dead half-breed but was a half-breed spirit in the tradition of the African jungle spirits. He was a mixture of bloods. The Brazilians who talked to him were also a mixture of bloods. He knew their nation and had witnessed their history. He spoke their language, not some African tribal dialect. In short, he was theirs. He was one of them. That was terribly important.

Zélio had heard about Kardek and had been to some of the macumba meetings that were held in Rio à la Candomblé style, but Caboclo told him that neither creed was right and proceeded to dictate a brand-new set of rales, regulations, rituais, chants, drumbeats, herbal cures, curses, dance steps, etc. Before Zélio could set up his "tent", or church, Rio police broke up the group. So he moved across the bay into the neighboring town of Niteroi. The police were easier on him there, and his congregation grew with each session. People came to him for advice, for cures and for confort. His assistente began to be possessed by other native Brazilians spirits, spirits who represented slaves and others Indians. The Yorubá deities, also came down and possessed his helpers, and so did the spirits of the Roman Catholic Church. In one session there would be whites, blacks and Indians rolling and chanting, dancing and shouting and all ready to be consulted and to help the poor and uneducated.

Where the word "Umbanda" originates is also in doubt, but it could have come froco the Sanskrit (!!) Aum-bandha, wich means "the limit of the unilimited" or "the divine principle". When Zelio inaugurated his church he did not call it after either African or Indians spirits, but chose to call "The Tent of Lady Piety".

Texto traduzido:

O homem a quem geralmente se atribui o crédito da criação da Umbanda é Zélio de Moraes. Ele era alto, loiro e de pele branca. Foi educado no catolicismo, mas era constantemente molestado com a possessão de um espírito de um índio brasileiro mestiço chamado Caboclo das Sete Encruzilhadas. Caboclo é a denominação do ser mestiço de índio e negro. Ele estava em comunicação direta com espíritos africanos do Candomblé e também em excelentes relações com os espíritos dos índios locais. O povo que vinha até Zélio para consultas acreditava em todas as coisas que o Caboclo dizia, por ser ele, antes de mais nada, um deles. Não era apenas o fantasma de algum mestiço morto, mas era um espírito híbrido na tradição dos espíritos da selva africana. Ele era uma mistura de sangues. Os brasileiros que conversavam com ele também eram uma mistura de sangues. Conhecia sua nação e havia testemunhado sua história. Falava sua língua, não o dialeto de alguma tribo africana. Em resumo, ele era um deles e isto era terrivelmente importante.

Zélio tinha ouvido sobre Kardec e havia estado em alguns encontros de macumba que ocorreram no Rio no estilo do Candomblé, mas o Caboclo disse a ele que nada do que se criara estava certo e ditou uma nova série de regras, regulamentos, rituais, cantos, toques de tambor, curas por meio de ervas, cursos, passos de danças, etc. Antes que Zélio pudesse levantar sua "tenda" ou igreja, a polícia do Rio freou o grupo. Então ele cruzou a baía em direção à cidade vizinha de Niterói. A polícia de lá foi maleável com ele e sua congregação crescia a cada sessão. O povo vinha a ele para obter conselhos, curas e conforto. Seus assistentes começaram a ser possuídos por outros espíritos brasileiros nativos, espíritos que representavam escravos negros e outros índios.

Os deuses Yorubás também vinham e incorporavam em seus ajudantes, e também vinham os espíritos da Igreja Católica Romana. Em uma sessão poderiam estar brancos, negros e índios girando e cantando, dançando e gritando, e todos prontos para serem consultados e para ajudar aos pobres e incultos.

De onde se origina a palavra "Umbanda" é ainda uma dúvida, mas ela poderia ter vindo do Sânscrito (!!) aum-bandha, o que significa "o limite do ilimitado" ou o "princípio divino".

Quando Zélio inaugurou a sua igreja, ele não colocou o nome de espíritos africanos ou índios, mas escolheu chamá-la de "Tenda Nossa Senhora da Piedade".

Raízes do Ritual Umbandista

Quando Ronaldo Linares efetuou os primeiros contatos com Zélio de Moraes, indagou sobre a origem do ritual umbandista e ele fez os seguintes esclarecimentos: o rito nasceu naturalmente como consequência, principalmente, da presença do índio e do elemento negro. Não tanto pela presença física do negro, mas sim pela presença do Preto-Velho incorporado. Para ser mais preciso, no mesmo dia da primeira sessão, em 16 de novembro de 1908, pela primeira vez Zélio incorporou Pai Antonio. O Caboclo das Sete Encruzilhadas havia avisado que subiria para dar passagem a outra entidade que desejava se manifestar.

Assim, manifestou-se no corpo de Zélio o espírito do velho ex-escravo que parecia se sentir pouco à vontade frente a tanta gente e que, recusando-se a permanecer na mesa onde ocorrera a incorporação, procurava passar despercebido, humilde, curvado, o que dava ao jovem Zélio um aspecto estranho, quase irreal. Essa entidade parecia tão pouco descontraída que logo despertou um profundo sentimento de compaixão e de solidariedade entre os presentes. Perguntado, então, por que não se sentava à mesa com os demais irmãos encarnados, respondeu: *Nego num senta não meu sinhô, nego fica aqui mesmo. Isso é coisa de sinhô branco i nego deve arrespeitá...*

Era a primeira manifestação desse espírito iluminado, mas a morte que não retoca seu escolhido, mudando-o para o bem ou para o mal, não havia afastado desse injustiçado o medo que ele, tantas vezes, sentiu ante a prepotência do branco escravagista e, ante a insistência dos seus interlocutores, disse: *Num carece preocupá não, nego fica no toco que é lugá di nego...* Procurava, assim, demonstrar que se contentava em ocupar um lugar mais singelo, para não melindrar qualquer um dos presentes.

Indagado sobre o seu nome, disse que era "Tonho", um preto escravo que na senzala era chamado de Pai Antonio. Surgiu, assim, a forma de chamar os Pretos-Velhos de Pai.

Perguntado sobre como havia sido a sua morte, disse que havia ido à mata apanhar lenha, sentiu alguma coisa estranha, sentou-se e nada mais lembrava.

Sensibilizado com tanta humildade, alguém lhe perguntou respeitosamente: "Vovô, o senhor tem saudade de alguma coisa que deixou ficar na Terra?" E este respondeu: *Minha cachimba, nego, qué o pito que deixou no toco... Manda muréque buscá.* Grande espanto tomou conta dos presentes. Era a primeira vez que um espírito pedia alguma coisa de material, e a surpresa foi logo substituída pelo desejo de atender ao pedido do velhinho. Mas ninguém tinha um cachimbo para lhe ceder.

Na reunião seguinte, muitos pensaram no pedido e uma porção de cachimbos dos mais diferentes tipos apareceu nas mãos dos frequentadores da casa, incluindo alguns médiuns que haviam sido afastados de centros kardecistas, justamente porque haviam permitido a incorporação de índios, pobres ou pretos como aquele e que, solidários, buscavam na nova casa, a Tenda Nossa Senhora da Piedade, a oportunidade que lhes fora negada em seus centros de origem. A alegria do velhinho em poder pitar novamente o seu cachimbo logo seria repetida, quando os outros médiuns já mencionados também passaram livremente a permitir a presença de seus Caboclos, de seus Pretos-Velhos e demais entidades consideradas não doutas pelos kardecistas de então, pobres tolos preconceituosos que confundiam cultura com bondade.

Desse fato surgiu um ponto de Preto-Velho muito cantado nos terreiros de Umbanda:

Minha cachimba tá no toco
Manda muréque buscá
Minha cachimba tá no toco
Manda muréque buscá
No alto da derrubada
Minha cachimba ficou lá
No alto da derrubada
Minha cachimba ficou lá

Um outro ponto de Pai Antonio mostra o seu poder de cura:

Dá licença, Pai Antonio
Que eu não vim lhe visitar...
Eu estou muito doente
Vim pra você me curar
Se a doença for feitiço
Pula lá em seu congá

*Sê a doença for de Deus
Pai Antonio vai curar!*

*Coitado de Pai Antonio
Preto-Velho curador
Foi parar na detenção
Por não ter um defensor
Pai Antonio é Quimbanda
É curador!
É Pai de mesa (bis)
É curador (bis)
Pai Antonio é Quimbanda
É curador!*

Dessa maneira, foi introduzido na "mesa" espírita o primeiro rito. Outros lhe seguiram, por exemplo, quando houve a informação de que os índios tinham o hábito de fumar e que foram eles quem primeiro descobriram as propriedades do fumo. Eles a enrolavam em um enorme charuto que era usado coletivamente por todos os participantes de seus cultos religiosos, sendo, desta forma, uma espécie de planta sagrada.

Desde que haja moderação e cautela, negar o pito ao Preto-Velho seria, hoje, uma grande maldade. Entretanto, deve-se sempre ter em mente que o seu uso deve ater-se somente ao rito a fim de evitar os abusos e as deturpações que testemunhamos constantemente, não raras vezes, tocando as raias do absurdo e do escândalo, para desprestígio desta religião que nasceu sob o signo da paz e do amor.

O uso do fumo pelas entidades incorporadas tem o efeito purificador quando estas atendem algum consulente com problemas espirituais. A fumaça age como um desagregador de maus fluídos, atingindo o corpo astral dos espíritos obsessores, além disso, produzida pelos charutos e pelo fumo dos cachimbos cria um escudo de proteção para a aura do médium.

Por extensão desses hábitos trazidos ao terreiro, passou-se a oferecer doces às crianças incorporadas. Contudo, o que é usual nesses casos e, naturalmente influindo desta ou daquela maneira nas demais formas de incorporação, sempre com o objetivo de tratar os espíritos incorporantes como velhos e queridos amigos a quem recebemos com grande satisfação.

Com a "liberdade" trazida pelo Caboclo das Sete Encruzilhadas, as pessoas afugentadas da elitizada mesa kardecista de então passaram a frequentar a nova religião. Uma significativa parcela dessas pessoas era da raça negra (no Rio de Janeiro). Isso fez com que a Umbanda passasse a contar com uma boa parte de médiuns dessa raça que se sentiam muito à vontade pela ausência de preconceitos. Esses médiuns começaram a enriquecer o ritual umbandista com práticas dos cultos africanos, principalmente do Candomblé, conhecidas por eles, sincretismo dos Orixás com santos católicos, etc.

Foram introduzidos, assim, algumas comidas de santo, atabaques, agogôs e outros instrumentos musicais. Esses fatos ocorreram com as tendas nascidas da Tenda Nossa Senhora da Piedade, pois lá nunca foram utilizados instrumentos musicais e palmas.

Outro fator determinante da raça negra no Candomblé são as oferendas (obrigações aos Orixás). Os africanos tinham o hábito de fazer oferendas a eles utilizando, por exemplo, o vinho de palma. Na situação de escravos, não tinham permissão para cultuar os seus Orixás e tampouco de fazer tais oferendas.

Alguns escravos, que demonstravam dotes mediúnicos, eram escolhidos pela comunidade para ser iniciados nos mistérios da sua religião. Esses escravos eram retirados, à noite, das senzalas e iniciados no interior da mata, junto à Natureza. O escravo iniciado deveria fazer uma oferenda ao seu Orixá. Na ausência do vinho de palma, o escravo era obrigado a "tirar" algo de valor do senhor branco (geralmente, bebidas vindas de Portugal tal como o vinho, aguardente, etc.) para lhe oferecer.

O vinho, ou outra oferenda subtraída do senhor de escravos, constituía uma forma de cumplicidade e garantia de que o cativo não trairia seus irmãos denunciando-os, pois poderia ser acusado de furto.

Justificam-se, assim, as obrigações ofertadas pelos médiuns aos seus Orixás, dadas junto à Natureza (matas, cachoeiras, pedreiras, mar, rios, etc.), geralmente à noite em função da tradição do elemento negro.

Na Umbanda não existem dogmas e todos os rituais, quer para entidades, quer para os Orixás, têm a sua razão de ser, como pudemos ver nos parágrafos anteriores.

O CABOCLO DAS SETE ENCRUZILHADAS

O conceituado escritor Leal de Souza, redator chefe do jornal *A Noite*, do Rio de Janeiro, publicou uma série de artigos sobre Espiritismo, no ano de 1932, no jornal *Diário de Notícias*. Em sua edição matutina de 8 de novembro daquele ano, o referido jornal, da então capital federal, anunciava:

"A larga difusão do Espiritismo no Brasil é um dos fenômenos mais interessantes do reflorescimento da fé. O homem sente, cada vez mais, a necessidade do amparo divino e vai para onde o arrastam os seus impulsos, conforme a sua cultura e a sua educação, ou para onde o conduzem as sugestões do seu meio. É o que se observa em nosso país, nos Estados Unidos e na Europa, atacada, nestes tempos, de uma curiosidade delirante pela magia.

Mas, em nenhuma região o Espiritismo alcança a ascendência que o caracteriza em nossa capital. É preciso, pois, encará-lo com a seriedade que a difusão exige.

No intuito de esclarecer o povo e as próprias autoridades sobre culto e práticas amplamente realizados nesta cidade, o Diário de Notícias *convidou um especialista nesses assuntos, o sr. Leal de Souza, para explaná-los, no sentido explicativo, em suas colunas.*

Esses mistérios, se assim podemos chamá-los, só podem ser aprofundados por quem os conhece, os espíritas. Convi-

damos o sr. Leal de Souza por ser ele um espírito tão sereno e imparcial que, exercendo até setembro do ano passado, o cargo de redator-chefe de A Noite, *nunca se valeu daquele vespertino para propagar a sua doutrina e sempre apoiou com entusiasmo as iniciativas católicas.*

O sr. Leal de Souza já era conhecido pelos seus livros, quando realizou o seu famoso inquérito sobre o Espiritismo: No mundo dos Espíritos, *alcançando grande êxito pela imparcialidade e discrição com que descrevia as cerimônias e fenômenos então quase desconhecidos de quem não frequentava os centros.*

Depois de convertido ao Espiritismo, fez durante seis anos, com auxílio de cinco médicos, experiências de caráter científico sobre essas práticas e principalmente sobre os trabalhos dos chamados caboclos e pretos.

Nos seus artigos sobre 'O Espiritismo e as Sete Linhas de Umbanda', não faz propaganda, porém, elucida, mostrando-nos as diferenciações do Espiritismo no Rio de Janeiro, as causas e os efeitos que atribui às suas práticas, dizendo-nos o que é e como se pratica a feitiçaria, tratando não só dos aspectos científicos como ainda da Linha de Santo, dos Pais de mesa, do uso do defumador, da água, da cachaça, dos pontos, em suma, da magia negra e branca.

Esperamos que as autoridades incumbidas da fiscalização do Espiritismo e muitas vezes desaparelhadas para diferenciar o joio do trigo, e o povo, sempre ávido de sensações e conhecimentos, compreendam, em sua elevação, os intuitos do Diário de Notícias.

Na próxima quinta-feira, iniciaremos a publicação de seus artigos sobre 'O Espiritismo, a Magia e as Sete Linhas de Umbanda'. É a primeira série desses artigos, escritos diariamente ao correr da pena, que constitui esse livro".

Leal de Souza era um pesquisador muito sério do Espiritismo e também muito ligado à Tenda Nossa Senhora da Piedade e ao Caboclo das Sete Encruzilhadas. Do seu livro, reproduziremos, na íntegra, o Capítulo XXIII:

"Se alguma vez tenho estado em contato consciente com algum espírito de luz, esse espírito é, sem dúvida, aquele que se apresenta sob o aspecto agreste e o nome bárbaro de Caboclo das Sete Encruzilhadas.

Sentindo-o ao nosso lado, pelo bem-estar espiritual que nos envolve, pressentimos a grandeza infinita de Deus e, guiados pela sua proteção, recebemos e suportamos os sofrimentos com uma serenidade quase ingênua, comparável ao enlevo das crian-

ças, nas estampas sacras, contemplando, da beira do abismo, sob as asas de um anjo, as estrelas no céu.

O Caboclo das Sete Encruzilhadas pertence à falange de Ogum, e, sob a irradiação da Virgem Maria, desempenha uma missão ordenada por Jesus. O seu ponto emblemático representa uma flecha atravessando um coração, de baixo para cima. A flecha significa direção; o coração, sentimento e o conjunto, orientação dos sentimentos para o alto, para Deus.

Estava esse espírito no espaço, no ponto de intersecção de sete caminhos, chorando sem saber o rumo a tomar, quando lhe apareceu, na sua inefável doçura, Jesus, e mostrando-lhe em uma região da Terra, as tragédias da dor e os dramas da paixão humana, indicou-lhe o caminho a seguir, como missionário do consolo e da redenção. Em lembrança desse incomparável minuto de sua eternidade e para se colocar no nível dos trabalhadores mais humildes, o mensageiro de Cristo tirou o seu nome do número dos caminhos que o desorientavam, e ficou sendo o Caboclo das Sete Encruzilhadas.

Iniciou, assim, a sua cruzada, vencendo, na ordem material, obstáculos que se renovam quando vencidos e dos quais o maior é a qualidade das pedras com que se deve construir o novo templo. Entre a humildade e a doçura extremas, a sua piedade se derrama sobre quantos o procuram e, não poucas vezes, corre pela face do médium, as lágrimas que expressam a sua tristeza, diante dessas provas inevitáveis das quais as criaturas não podem fugir.

A sua sabedoria se avizinha da onisciência. O seu profundíssimo conhecimento da Bíblia e das obras dos doutores da Igreja autorizam a suposição de que ele, em alguma encarnação, tenha sido sacerdote, porém a Medicina não lhe é mais estranha do que a Teologia.

Acidentalmente, o seu saber se revela. Uma ocasião, para justificar uma falta por esquecimento de um de seus auxiliares humanos, explicou, minucioso, o processo de renovação das células cerebrais, descreveu os instrumentos que servem para observá-las e contou numerosos casos de fenômenos que as atingiram e como foram tratados na grande guerra deflagrada em 1914. Também, para fazer os seus discípulos compreenderem o mecanismo dos sentimentos, se assim posso expressar-me, explicou a teoria das vibrações e a dos fluídos e, numa ascensão gradativa, na mais singela das linguagens, ensinou a homens de cultura desigual as transcendentes leis astronômicas. De outra feita, respondendo a consulta de um espírita que é capitalista em São Paulo e representa interesses europeus, produziu um estudo admirável da situação financeira criada para a França, pela quebra do padrão ouro na Inglaterra.

A linguagem do Caboclo das Sete Encruzilhadas varia, de acordo com a mentalidade de seu auditório. Ora chã, ora simples, sem um atavio, ora fulgurante nos arrojos da alta eloquência, nunca desce tanto, que se abastarde, nem se eleva demais, que se torne inacessível.

A sua paciência de mestre é, como a sua tolerância de chefe, ilimitada. Leva anos a repetir, em todos os tons, por meio de parábolas, de narrativas, o mesmo conselho, a mesma lição, até que o discípulo, depois de tê-lo compreendido, comece a praticá-lo.

A sua sensibilidade ou perceptibilidade é rápida, surpreende. Resolvi, certa vez, explicar os dez mandamentos da Lei de Deus aos meus companheiros e, à tarde, quando me lembrei da reunião da noite, procurei, concentrando-me, comunicar-me com o missionário de Jesus, pedindo-lhe uma sugestão, uma ideia, pois não sabia como discorrer sobre o mandamento primeiro. Ao chegar à Tenda, encontrei o seu médium, que viera apressadamente das Neves, no município de São Gonçalo, por uma ordem recebida à última hora e o Caboclo das Sete Encruzilhadas baixando em nossa reunião, discorreu espontaneamente sobre aquele mandamento. Concluindo, disse-me: Agora, nas outras reuniões, podeis explicar aos outros como é vosso desejo.

E esse caso se repetiu: – havia necessidade de falar sobre as Sete Linhas de Umbanda e, incerto sobre a de Xangô, implorei mentalmente, o auxílio desse espírito e, de novo, o seu médium, por ordem de última hora, compareceu à nossa reunião, na qual o grande guia esclareceu, numa alocução transparente, as nossas dúvidas sobre essa linha.

A primeira vez em que os videntes o vislumbraram, no início de sua missão, ele se apresentou como um homem de meia-idade, a pele bronzeada, vestindo uma túnica branca, atravessada por uma faixa em que brilhava, em letras de luz, a palavra "CARITAS". Depois, e por muito tempo, só se mostrava como caboclo, utilizando tanga de plumas e demais atributos dos pajés silvícolas. Passou, mais tarde, a ser visível na alvura de sua túnica primitiva, mas há anos acreditamos que só em algumas circunstâncias se reveste de forma corpórea, pois os videntes não o veem e quando a nossa sensibilidade e outros guias assinalam a sua presença, fulge no ar uma vibração azul e uma claridade dessa cor paira no ambiente.

Para dar desempenho à sua missão na Terra, o Caboclo das Sete Encruzilhadas fundou quatro Tendas em Niterói e nesta cidade, e outras fora das duas capitais, todas da Linha Branca de Umbanda e Demanda."

Havia um médium vidente na Tenda Nossa Senhora da Piedade, com certos dotes artísticos, e que retratou o Caboclo das Sete Encruzilhadas e Pai Antonio. A seguir mostramos, além dessas duas pinturas, duas fotos de Zélio de Moraes e uma foto de Zélia de Moraes Lacerda e Zilméia de Moraes da Cunha, filhas de Zélio e continuadoras de sua missão.

Figura 2: Congá da Tenda Nossa Senhora da Piedade, em que aparece, ao alto, o ponto emblemático do Caboclo das Sete Encruzilhadas.

Figura 3: Zélio de Moraes

Figura 4: Norma Linares, Zélio de Moraes, sua esposa, seu neto e seu genro.

Figura 5: Zélia de Moraes Lacerda e Zilméia de Moraes Cunha.

Figura 6: O Caboclo das Sete Encruzilhadas.

Figura 7: Pai Antonio.

COMO CONHECI ZÉLIO DE MORAES

(RONALDO LINARES)

Em julho de 1972, eu estava em uma das minhas viagens ao Rio de Janeiro, com fragmentos de uma informação que havia colhido de uma conversa com o sr. Demétrio Domingues, segundo o qual a mais antiga Tenda de Umbanda seria a Tenda de Zélio de Moraes. Eu me encontrava em São João do Meriti, já de saída para São Paulo, quando decidi que iria procurar essa pessoa, se é que ela realmente ainda existia. Depois de me informar de como chegar a Cachoeiras de Macacu, atravessei a ponte Rio-Niterói e tomando a estrada para Friburgo consegui chegar, depois de várias informações erradas.

Caía a tarde naquela cidade. Era dia de jogo do Brasil na Copa Independência, o que serviu para complicar meu trabalho. Em todo local que pedia informações, todos estavam com os olhos grudados na televisão. Meu carro, embora novo, tinha um mau contato no rádio e a minha companheira Norminha passou metade da viagem dando tapas embaixo do painel para ouvir o jogo. Várias vezes ela me disse que aquilo era uma loucura e que o melhor era voltarmos ao Rio de Janeiro, mas eu estava determinado a esclarecer o assunto de uma vez por todas.

Ao entrar na cidade, que é muito pequena, dirigi-me primeiro a um bar, pedindo as primeiras informações, pois eu esperava encontrar uma pessoa bastante popular na cidade. Fiquei muito surpreso quando ninguém soube dar-me informação alguma, nem quanto à figura de Zélio, tampouco quanto a sua tenda. Essa pessoa que eu procurava, se ainda estivesse viva, devia ser um ancião e, assim pensando, procurei uma farmácia, pois nessas pequenas comunidades o velho quase sempre frequenta regularmente a farmácia. Nova decepção: ninguém conhecia Zélio nem havia ouvido falar de sua tenda. Cheguei a procurar a igreja local e indaguei ao padre, apresentando as minhas credenciais de repórter. Este também declarou nada saber a respeito de quem eu buscava (mais tarde vim a saber que a família Moraes não só era conhecida do padre, como participava financeiramente das realizações sociais da igreja).

Já quase desistindo, parei numa padaria, numa das travessas da cidade, e foi lá que encontrei o "louco". Demos-lhe este nome porque, durante a nossa conversa, ele pareceu não ser um indivíduo equilibrado. Afirmou conhecer Zélio e disse-me que ele tinha um bar em Boca do Mato. Contestei imediatamente, pois as informações que eu tinha diziam que Zélio morava em Cachoeiras de Macacu. Depois de muitas explicações, fiquei sabendo que Boca do Mato era um bairro desse micromunicípio, com praticamente uma única rua que terminava na mata, daí o nome que lhe deram: Boca do Mato.

Um tanto temeroso ainda, convidei o "louco" para que nos levasse até o local. Norminha estava apavorada com a minha atitude, achando que estávamos sendo conduzidos a uma emboscada. O cair da tarde era frio e garoava muito, lembrando uma tarde de inverno paulistano. A região serrana talvez propiciasse esse clima. Ao voltarmos à estrada, o "louco" apontava para uma propriedade mais bonita e dizia: "Eu vendi para o deputado, para o gerente do Banco do Brasil, etc". Se fato ou não, o certo é que jamais ficaremos sabendo.

Finalmente, em uma curva da estrada, nenhuma casa aparente, ele nos pede para entrarmos à direita. Só a menos de dez metros de onde estávamos é que eu consegui enxergar a saída. O receio transformou-se em medo. Apesar de tudo, fomos em frente: uma rua sinuosa, várias pontes, algumas casas esparsas, nenhuma casa de comércio aberta. Paramos e ele disse: "É aqui". A casa estava fechada. Bati palmas várias vezes. Em uma casa vizinha, uma janela se abriu e uma senhora de meia-idade, muito atenciosa, perguntou: "Vocês estão procurando quem?" Sem declinar o meu nome, expliquei que era repórter e precisava encontrar o "sr. Zélio". Ela então me esclareceu: "Seu Zélio está muito doente e não há ninguém em casa". Finalmente alguém confirmou que "seu Zélio" existia. Perguntei onde o encontraria e ela disse: "Ele está na casa da filha, em Niterói". Senti como se tivesse pisado em um alçapão, pois havia passado por Niterói e levei duas horas para chegar até ali. Teria de fazer todo o caminho de volta. Perguntei se ela teria o endereço. Ela, muito educada, respondeu: "não sei exatamente onde eles moram, mas tenho o telefone da filha".

Depois de me assegurar de que realmente o apartamento ficava em Niterói, despedi-me. O "louco" estava eufórico, a informação era correta.

Paramos em Cachoeiras de Macacu e eu o gratifiquei. Ele agradeceu e saiu correndo com o dinheiro em direção ao primeiro bar, "como um louco".
Voltei para Niterói. Norminha dizia que o louco era eu por continuar naquele busca inútil, mas me acompanhava, apesar de tudo. Já não se falava mais em futebol, somente se encontraríamos ou não o sr. Zélio.
Chegamos por volta das 19 horas a Niterói. Assim que eu deixei a estrada, cruzei algumas ruas e cheguei a uma farmácia. "Cariocamente", estacionei o carro na calçada, desci, apresentei as minhas credenciais e pedi para usar o telefone. Logo à minha volta estava estabelecida a confusão. "O senhor é repórter? Foi crime? Onde foi? Quem morreu?" Tentando ignorar as perguntas, consegui completar a ligação. Do outro lado da linha, uma voz de menina atendeu-me. Disse apenas que era de São Paulo, que queria entrevistar o sr. Zélio e que havia sido informado de que ele se encontrava naquele telefone. A mocinha pediu que eu esperasse um instante e eu a ouvi transmitindo as informações que eu lhe dera. Outra voz no aparelho, desta vez a de uma senhora. Explico os objetivos de minha visita (em momento algum declinei meu nome).

Ouço a pessoa com quem conversava dirigir-se a outra e explicar: "Papai, há uma pessoa de São Paulo ao telefone, que veio para entrevistá-lo. O senhor pode atendê-la?" E, para minha surpresa, ouço lá no fundo, uma voz cansada responder: "É o Ronaldo, minha filha, que estou esperando há tanto tempo. É o homem que vai tornar meu trabalho conhecido em todo o mundo". Eu ouvia e não acreditava. Eu não havia dito a ninguém o meu nome e, no entanto, ele sabia de tudo, como se estivesse informado. Pedi o endereço, trêmulo e emocionado. Não me saía da cabeça como ele sabia quem eu era. Agradeci ao farmacêutico e saí pisando fundo.

Na avenida Almirante Ari Parreira, perguntei a um, a outro e finalmente estava defronte ao prédio. Um tanto receoso, encostei o veículo. Tomei o elevador, estava tudo escuro. Passam os andares e finalmente o elevador para. Tive a impressão de que meu coração havia parado também. Descemos e à nossa frente havia duas portas. Bati à porta direita. A porta se abriu e era a mocinha gentil que me atendeu da primeira vez:
– Sr. Ronaldo?
– Perfeitamente.
– Um momentinho. A porta da sala é a outra e dona Zilméia vai atendê-lo.

O espaço que separava uma porta da outra não ultrapassava três metros. Com quatro passos estava diante da segunda, que já começava a abrir-se. Diante de mim, uma senhora sorriu muito educada e perguntou: "O senhor é Ronaldo?" Confirmei e apresentei Norminha, minha esposa.

A sala era um "L" e no canto direito um velhinho, usando pijama e uma blusa de lã por cima, sorriu para mim. O apartamento era modesto; havia um enorme aquário numa das pernas do "L". Ao ver a frágil figura do velhinho, veio-me à cabeça que aquele deveria ser, no mínimo, irmão gêmeo do Chico Xavier, tal a sua semelhança física com o famoso médium kardecista. Tomado de grande emoção, aproximei-me do sr. Zélio. Ele sorriu e disse, brincando: "Pensei que você não chegaria a tempo".

Não sei por que, mas aproximei-me, ajoelhei-me diante daquela figura simpática e tomei-lhe a bênção. Ele tomou minhas mãos, fez-me sentar a seu lado e repreendeu a Norminha, dizendo-lhe: "Por que você não queria vir para cá?" Quando consegui falar, disparei uma rajada de perguntas. Eu estava totalmente abalado, o homem parecia saber tudo sobre mim e procurava acalmar-me, dizendo: "Sei perfeitamente o que você quer saber e não há motivo para que você esteja tão nervoso". Sua presença me acalmava. Dona Zilméia, depois de conversar conosco por uns 15 minutos, explicou que era dia de ela tocar os trabalhos e se desculpou, dizendo que precisava sair. Pedi-lhe o endereço da Tenda e depois de tudo anotado, ela se retirou e fiquei na companhia do sr. Zélio.

Figura 8: Zélio de Moraes, Dona Isabel (sua esposa) e Ronaldo Linares.

Ele não tinha como saber quem eu era, pois em momento algum eu havia mencionado o meu nome a quem quer que fosse e que poderia ter lhe informado. Naquela manhã, nem eu mesmo sabia que iria a sua procura e, no entanto, ele tinha realmente todas as respostas às minhas perguntas, na maior parte do tempo se antecipava a elas, coisa que até hoje eu não consigo compreender. Eu estava diante de alguém como nunca havia visto antes. Finalmente eu encontrara o "homem".

Entrevista com Zélio de Moraes

Em 1972, a jornalista Lilia Ribeiro realizou uma entrevista com Zélio de Moraes na Cabana de Pai Antonio, em Boca do Mato, uma pequena localidade no município de Cachoeiras de Macacu, no Rio de Janeiro. Mostraremos alguns trechos dessa entrevista publicada pela revista *Gira de Umbanda*, número 1.

Perguntei-lhe como ocorrera a eclosão de sua mediunidade e de que forma se manifestara, pela primeira vez, o Caboclo das Sete Encruzilhadas.

— Eu estava paralítico, desenganado pelos médicos. Certo dia, para surpresa de minha família, sentei-me na cama e disse que no dia seguinte estaria curado. Isso foi a 14 de novembro de 1908. Eu tinha 18 anos. No dia 15 de novembro, amanheci bom. Meus pais eram católicos mas, diante dessa cura inexplicável, resolveram levar-me à Federação Espírita de Niterói, cujo presidente era José de Souza. Foi ele mesmo quem me chamou para que ocupasse um lugar à mesa de trabalhos, à sua direita. Senti-me deslocado, constrangido, em meio àqueles senhores. E causei logo um pequeno tumulto. Sem saber por que, em dado momento, eu disse: "Falta uma flor nesta mesa, vou buscá-la". E, apesar da advertência de que não poderia me afastar, levantei-me, fui ao jardim e voltei com uma flor que coloquei no centro da mesa. Serenado o ambiente e iniciados os trabalhos, verifiquei que os espíritos que se apresentavam aos videntes, como índios e pretos, eram convidados a se afastar. Foi então que, impelido por uma força estranha, levantei-me outra vez e perguntei por que não podiam se manifestar esses espíritos que, embora de aspecto humilde, eram trabalhadores. Estabeleceu-se um debate e um dos videntes, tomando a palavra, indagou:

– "O irmão é um padre jesuíta. Por que fala dessa maneira e qual é o seu nome?"

– Respondi, sem querer: "Amanhã estarei em casa deste aparelho, simbolizando a humildade e a igualdade que devem existir entre todos os irmãos, encarnados e desencarnados. E se querem um nome, que seja este: sou o Caboclo das Sete Encruzilhadas".

– Minha família ficou apavorada. No dia seguinte, verdadeira romaria formou-se na rua Floriano Peixoto, onde eu morava, no número 30. Parentes, desconhecidos, os tios, que eram sacerdotes católicos, e quase todos os membros da Federação Espírita, naturalmente em busca de uma comprovação. O Caboclo das Sete Encruzilhadas manifestou-se, dando-nos a primeira sessão de Umbanda na forma em que, daí para frente, realizaria os seus trabalhos. Como primeira prova de sua presença, por meio do passe, curou um paralítico, entregando a conclusão da cura ao Preto-Velho, Pai Antonio, que nesse mesmo dia se apresentou. Estava criada a primeira Tenda de Umbanda, com o nome de Nossa Senhora da Piedade, porque assim como a imagem de Maria ampara em seus braços o Filho, seria o amparo de todos os que a ela recorressem. O Caboclo determinou que as sessões seriam diárias, das 20 às 22 horas, e o atendimento gratuito, obedecendo ao lema "dai de graça o que de graça recebestes".

O uniforme totalmente branco e sapato tênis.

– Desse dia em diante, já ao amanhecer havia gente à porta, em busca de passes, cura e conselhos. Médiuns que não tinham oportunidade de trabalhar espiritualmente, por só receberem entidades que se apresentavam como Caboclos e Pretos-Velhos, passaram a cooperar nos trabalhos. Outros, considerados portadores de doenças mentais desconhecidas, revelaram-se médiuns excepcionais, de incorporação e de transporte.

– Na época – prossegue Zélio – imperava a feitiçaria, trabalhava-se muito para o mal, por meio de objetos materiais, aves e animais sacrificados, tudo a preços elevadíssimos. Para combater esses trabalhos de magia negativa, o Caboclo trouxe outra entidade, o Orixá Malé, que destruía esses malefícios e curava obsedados. Ainda hoje isso existe: há quem trabalhe para fazer ou desmanchar feitiçarias, só para ganhar dinheiro. Mas, eu digo: não há ninguém que possa contar que eu cobrei um tostão pelas curas que se realizavam em nossa casa; milhares de obsedados, encaminhados inclusive pelos médicos dos sanatórios de doentes mentais. E quando apresentavam ao Caboclo a relação desses enfermos, ele indicava os que poderiam ser curados espiritualmente; os outros dependiam de tratamento material.

PERGUNTEI ENTÃO A ZÉLIO, A SUA OPINIÃO SOBRE O SACRIFÍCIO DE ANIMAIS QUE ALGUNS MÉDIUNS FAZEM NA INTENÇÃO DOS ORIXÁS. ZÉLIO ABSTEVE-SE DE OPINAR, LIMITANDO-SE A DIZER:

– Os meus guias nunca mandaram sacrificar animais, nem permitiam que se cobrasse um centavo pelos trabalhos efetuados. No Espiritismo, não se pode pensar em ganhar dinheiro; deve-se pensar em Deus e no preparo da vida futura.

No final desta reportagem, foi transcrito um trecho da mensagem do Caboclo das Sete Encruzilhadas quando da celebração do 63º aniversário da Tenda Nossa Senhora da Piedade:

A Umbanda tem progredido e vai progredir muito, ainda. É preciso haver sinceridade, amor de irmão para irmão, para que a vil moeda não venha a destruir o médium, que será mais tarde expulso, como Jesus expulsou os vendilhões do templo. É preciso estar sempre de prevenção contra os obsessores, que podem atingir o médium. É preciso ter cuidado e haver moral, para que a Umbanda progrida e seja sempre uma Umbanda de humildade, amor e caridade. Essa é a nossa bandeira. Meus irmãos: sede humildes, trazei amor no coração para que pela vossa mediunidade possa baixar um espírito superior; sempre afinados com as virtudes que Jesus pregou na Terra, para que venha buscar socorro em nossas casas de caridade, em todo o Brasil. Tenho uma coisa a vos pedir: se Jesus veio ao planeta Terra na humilde manjedoura, não foi por acaso, não. Foi o Pai que assim o determinou. Que o nascimento de Jesus, o espírito que viria traçar à humanidade o caminho de obter a paz, saúde e felicidade; a humildade em que ele baixou neste planeta, a estrela que iluminou aquele estábulo sirva para vós, iluminando vossos espíritos, retirando os escuros de maldade por pensamentos, por ações; que Deus perdoe tudo o que tiverdes feito ou as maldades que podeis haver pensado, para que a paz possa reinar em vossos corações e nos vossos lares. Eu, meus irmãos, como o menor espírito que baixou à Terra, mas amigo de todos, numa concentração perfeita dos espíritos que me rodeiam neste momento, peço que eles sintam a necessidade de cada um de vós e que, ao sairdes deste templo de caridade, encontreis os caminhos abertos, vossos enfermos curados e a saúde para sempre em vossa matéria. Com o meu voto de paz, saúde e felicidade, com humildade, amor e caridade, sou e serei sempre o humilde CABOCLO DAS SETE ENCRUZILHADAS.

ZÉLIO DE MORAES
– 66 ANOS DE MEDIUNIDADE*

> *Zélio de Moraes foi um médium exemplar e com o Caboclo das Sete Encruzilhadas se conjugaram em uma brilhante missão. Foram **vanguardeiros ostensivos** que plantaram as primeiras sementes de reação e do **protesto** doutrinário, contra as práticas fetichistas das matanças e dos sacrifícios a Divindades, etc.*
>
> *(*W.W. da Matta e Silva*)*.

O Caboclo das Sete Encruzilhadas, que muitas vezes era chamado "O Chefe" pelos seus adeptos, nunca permitiu que seu médium recebesse qualquer remuneração pelos trabalhos espirituais realizados. Zélio nunca exerceu a mediunidade como profissão, trabalhando para sustentar a família e, diversas vezes, contribuía financeiramente para a manutenção das tendas fundadas pelo Caboclo. É sempre bom lembrar as suas palavras: *A Umbanda é a manifestação do espírito para a caridade.*

Zélio nasceu em 10 de abril de 1891 e, em 1967, após 59 anos de atividade junto à Tenda Nossa Senhora da Piedade, transferiu a direção dos trabalhos para as suas filhas Zélia e Zilméia e passou a viver em *Boca do Mato*, no município de Cachoeiras de Macacu, a 160 quilômetros do Rio de Janeiro, ao lado de sua esposa, Dona Isabel, médium do Caboclo Roxo.

---

*N.E.: Sugerimos a leitura de *Mediunidade – Um Mergulho no Mundo Oculto dos Terreiros*, de Vicente Paulo de Deus, Madras Editora.

Nesse recanto privilegiado da Natureza, continuou a atender aos necessitados do corpo e da alma, na Cabana de Pai Antonio.

Depois de 66 anos de mediunidade, Zélio desencarnou em um sábado, dia 3 de setembro de 1975. Em 13 de outubro do mesmo ano, o antigo jornal *Notícias Populares*, de São Paulo, publicou uma reportagem com o seguinte título: "FUNDADOR DA UMBANDA RECEBIA UM EX-PADRE". Em um dos trechos da reportagem podemos ler:

> *Poucos umbandistas de São Paulo foram ao enterro de Zélio de Moraes, o fundador do primeiro terreiro de Umbanda no Brasil. Ronaldo Linares, presidente da Federação Umbandista do Grande ABC, e Norma Linares foram os únicos presentes ao sepultamento de Zélio de Moraes em São Gonçalo, estado do Rio.*

Em outro trecho temos:

> *Em agosto de 1939, Zélio de Moraes fundou a Federação de Umbanda do Brasil e o Jornal de Umbanda. Depois de meio século dirigindo os trabalhos, passou a direção da Tenda Nossa Senhora da Piedade a suas filhas Zélia e Zilméia, continuando na Cabana de Pai Antonio...*

O radialista Ronaldo Linares, que foi seu amigo durante muitos anos e que hoje preside a Federação Umbandista do Grande ABC, gravou a última mensagem dada pelo Caboclo das Sete Encruzilhadas por meio do médium Zélio de Moraes:

> *"Meus irmãos: sejam humildes. Tragam o amor no coração para que vossa mediunidade possa receber espíritos superiores, sempre afinados com as virtudes que Jesus pregou na Terra, para que os necessitados possam encontrar socorro nas nossas casas de caridade. Aceitem meu voto de paz, saúde e felicidade, com humildade, amor e carinho."*

Fato curioso ocorreu durante o sepultamento. O corpo de Zélio, já debilitado por 84 anos de luta, encontrava-se gasto, magro e ocupava uma urna comum. Todavia, para surpresa de todos, seu corpo não coube na sepultura a ele destinada, embora também fosse uma sepultura comum. Foi necessário aumentá-la, demolindo-a parcialmente para dar passagem ao caixão. Até parecia que a terra não queria recebê-lo ou não se sentisse digna disso. Poderia ser também uma prova do Caboclo das Sete Encruzilhadas a dizer: *vede como é pequeno o vosso mundo para receber tão grande homem.*

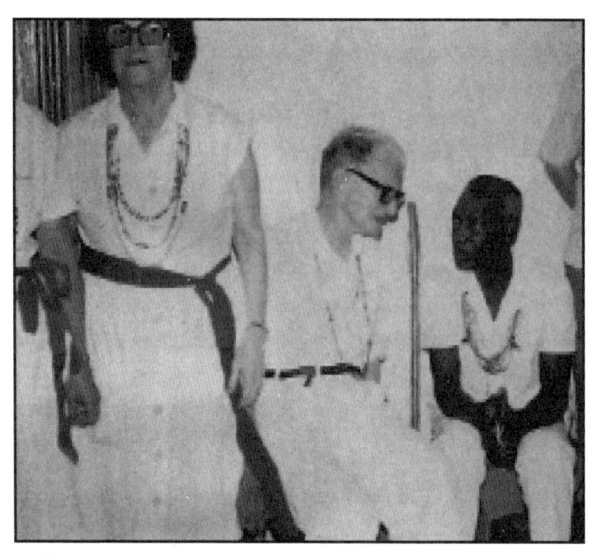

Figura 9: Zélio de Moraes conversa com um médium – Cabana de Pai Antonio.

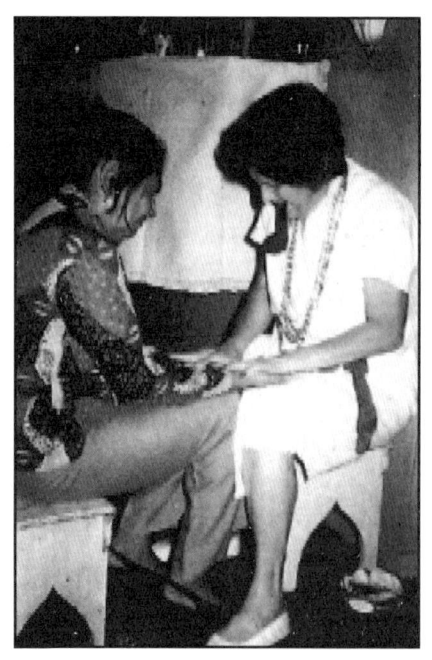

*Figura 10: Dona Zilméia de Moraes Cunha, incorporada
com a Preta-Velha, atende consulente na Tenda
Nossa Senhora da Piedade.*

O Significado da Palavra Umbanda

Sempre que é necessário demonstrar o pouco conhecimento dos umbandistas sobre a própria UMBANDA, pergunta-se inicialmente se os participantes da reunião são médiuns e depois se todos trabalham pela causa umbandista. Quando se recebe a resposta afirmativa, pergunta-se **o que é Umbanda?** E, geralmente, a resposta é um ar ou uma aparência de dúvida ou insegurança ou ainda uma frase sem muita convicção, como por exemplo: Umbanda é paz e amor (então todo *hippie* é umbandista?); Umbanda é caridade (as outras religiões não praticam a caridade?); ou ainda Umbanda é humildade. Umbanda é saber transmitir calor humano, e uma série de frases que podem definir algumas virtudes umbandistas, mas estão longe de fornecer ao leigo uma explicação satisfatória e lógica do que seja realmente. Vamos, por isso, explicar a origem e o significado da palavra Umbanda.

A palavra Umbanda, segundo Cavalcanti Bandeira em sua obra *"O que é Umbanda"*, é originária da língua Quimbundo, encontrada em muitos dialetos bantus, falados em Angola, Congo e Guiné. Isso não é segredo algum, pois, em virtude dos interesses comerciais e do período em que Portugal manteve suas colônias na África, foi devidamente estudada, e hoje existem várias gramáticas de autores insuspeitos, em que são citadas as palavras Umbanda e Quimbanda, nomes comuns na África. Às vezes é citada como nação poderosa, outras vezes como o espírito dessa mesma nação.

No livro *Império Ultramarino Português*, editado em 1941, é citada a localidade de Mucajé ia Quimbanda, sob jurisdição da Arquidiocese de Luanda.

Uma outra possibilidade dá a origem dessa palavra no orientalismo iniciático, no qual o "mantra" AUMBHANDA representa um alto significado esotérico, como foi discutido no Primeiro Congresso Brasileiro de Espiritismo de Umbanda, realizado em 1941, no Rio de Janeiro. Nesse congresso, Diamantino Coelho Fernandes, da Tenda Mirim, apresentou uma tese intitulada "Fundamentos históricos e filosóficos", na qual discorreu sobre o tema. Em um dos trechos da tese encontramos:

Umbanda não é um conjunto de fetiches, seitas ou crenças originárias de povos incultos, ou aparentemente ignorantes. Umbanda é, demonstradamente, uma das maiores correntes do pensamento humano existentes na Terra há mais de cem séculos, cuja raiz se perde na profundidade insondável das mais antigas filosofias.

AUM – BANDHÃ (OM – BANDÁ)
AUM (OM)
BANDHÃ (BANDÁ)
OMBANDÁ (UMBANDA)

O vocábulo UMBANDA é oriundo do Sânscrito, a mais antiga e polida de todas as línguas da Terra, a raiz mestra, por assim dizer, das demais línguas existentes no mundo.
Sua etimologia provém de AUM-BANDHÃ (Om-Bandá) em Sânscrito, ou seja, o limite do ilimitado.

Em alguns cânticos religiosos Jejê na Bahia, pode-se ouvir perfeitamente a palavra Umbanda. Na *gramática de Kimbundo*, do professor L. Quintão, encontramos: *Umbanda: arte de curar* (de Kimbanda: curandeiro). Algumas deformações linguísticas atuais no Brasil atribuem ao feiticeiro o título de Quimbandeiro, que na África, é chamado de Muloji.

Resumidamente temos: *Umbanda: arte de curar, ofício de ocultista, ciência médica, magia de curar.* Em sua origem participam valores de três culturas principais: a cultura branca europeia (catolicismo e kardecismo), cultura negra africana (elemento escravo) e a cultura vermelha ameríndia (índios nativos que o branco tentou escravizar).

CONCLUÍMOS, ENTÃO, QUE A UMBANDA É UMA RELIGIÃO MEDIÚNICA, RITMADA, RITUALIZADA, DE ORIGEM EURO-AFROBRASILEIRA.

A Presença do Negro e do Índio na Umbanda

Vimos anteriormente, quando estudamos a origem da Tenda de Umbanda Nossa Senhora da Piedade, que a primeira participação do elemento negro nessa tenda deveu-se à presença do Preto-Velho Pai Antonio, incorporado no sr. Zélio de Moraes, que inclusive determinou o hábito das oferendas nessa nova religião. Todavia, em virtude justamente da liberdade preconizada pelo sr. Zélio de Moraes e pelo Caboclo das Sete Encruzilhadas, logo a nova religião seria tomada por todos aqueles que foram excluídos pela então elitizada e preconceituosa mesa branca ou kardecista.

Por serem os negros do Rio de Janeiro uma parcela expressiva da população, rapidamente passamos a contar com muitos médiuns da raça negra e que, sentindo-se à vontade pela ausência de preconceitos, pela familiaridade que ainda traziam do Candomblé e pela designação dos santos católicos com os nomes dos Orixás africanos, enriqueceram o ritual umbandista. Trouxeram seus ritos e instrumentos característicos africanos, introduzindo o uso dos atabaques, dos agogôs e, até mesmo, deturpando parte desse mesmo rito, que passou a tomar o nome de Candomblé de Caboclo ou de Candomblé de Boiadeiros [fruto, naturalmente, da convivência durante e após o cativeiro de índios, caboclos (mestiços) e negros, sob as ordens do branco cuidando da lavoura e da lida com o gado]. Tanto é fato esta deturpação nas tendas nascidas da própria Tenda de Umbanda Nossa Senhora da Piedade, que nesta nunca foram utilizados atabaques ou qualquer outra forma de instrumento musical, nem mesmo as palmas acompanham os cânticos.

O Cativeiro, a luta pela liberdade e a Umbanda. Como começou?

A escravidão negra nas Américas, como muitas outras formas de injustiças sociais, infelizmente, teve início como se fosse algo de bom. Por iniciativa da Igreja Católica que, com pretexto de proteger os índios e de trazer para o seio da Igreja e de Cristo os pagãos africanos, conseguiu, por meio do rei da Espanha, que na época havia invadido Portugal e era o senhor de toda a Península Ibérica, um édito real que permitia a importação de escravos para trabalharem nas terras latino-americanas.

Esses escravos acabaram por se tornar, praticamente, a única força de trabalho do Novo Mundo. Milhões deles foram trazidos do continente africano, mas nem a metade conseguiu chegar com vida. A carnificina autorizada pelo rei D. Fernando de Espanha duraria, ainda, por séculos. Quem conseguiu que D. Fernando assinasse o édito autorizando a importação de escravos foi, pasmem os que leem, um bispo católico, D. Bartolomeu de Las Casas que, alegando ser crime escravizar um homem livre (no caso, o índio), sugeriu que se importassem os escravos negros.

A Igreja tinha escrúpulos de escravizar um homem livre, mas nada tinha a opor que se comprasse um homem que já era escravo. Mas seria esta realmente a verdade?

Sem dúvida, a dominação branca no continente americano fez-se sob a égide da Igreja. A mesma Igreja que, em nome de Jesus, já envolvera-se em diversas guerras, sempre servindo apenas aos seus interesses imediatos e às suas próprias ambições; que transformou o trono de São Pedro em assento de aventureiros, quando o próprio papa armava-se de capa e espada e comandava exércitos para semear a morte entre os habitantes da Terra Santa, maometanos, ou quem quer que fosse que se impusesse ante seu caminho em busca do lucro e do poder. O pretexto para a declaração das ignominiosas guerras santas, as Cruzadas, nada mais era que uma tentativa de conquistar a posse de territórios árabes que permitiam o acesso à Índia e às suas riquezas e iguarias.

Era o comércio incentivando a guerra, era Jesus sendo substituído pelo dinheiro. Foram, enfim, os traidores dessa famigerada Igreja de Cristo que, mais uma vez, em nome de Deus, semearam a morte e a dor, sacrificando milhões para o benefício de poucos... muito poucos.

A grande verdade é que a Igreja sempre apoiou quem estava "por cima", quem detinha o poder, por isso, quando os reis substituíram os barões no comando dos homens, ela procurou ficar ao lado destes. Independentemente de quais fossem as ideias e os objetivos da nação, o clero estaria ao lado dos reis e, naturalmente, contra o povo, incutindo até mesmo nesse povo a ideia de que o rei era um ser divino e que seu sangue era diferente, devendo o povo obedecê-lo cegamente. A vontade do rei era a vontade de Deus e, em troca, deveria dar à Igreja todo o apoio possível.

A ambição dos reis europeus exigia que nas novas terras conquistadas fossem produzidas riquezas para manter o fastígio das cortes e os padres fechavam os olhos a qualquer forma de injustiça social, desde que não lhes fosse negado seu quinhão. Assim, a princípio, tentou-se a escravização dos índios aqui encontrados. Era preciso deixar claro, segundo os jesuítas da famigerada Companhia de Jesus, que o índio a nada tinha direito porque não era católico. Ele apenas acreditava naquilo que Deus fizera: no Sol, na Lua, nas Estrelas. O índio não acreditava naquele símbolo de ladrões e malfeitores, no símbolo assassino da cruz. Ele, o índio, não precisava de fortuna, bastava-lhe o suficiente para o dia a dia, uma fruta, um pouco de milho ou mandioca, uma peça de caça para fornecer as proteínas animais de que carecia. Como igreja, ele usava a Natureza como Deus a criou, uma clareira na floresta com as árvores da mata filtrando a luz do Sol, uma cachoeira, a beira de um lago; qualquer fato da Natureza era religião, era sagrado para o índio.

Mas, eis que surge o branco do outro lado do mar, com ideias novas. Toda a cultura do índio era bobagem, o índio deveria esquecer Tupã para prostrar-se ante a imagem de Cristo. Deveria negar todos os seus valores culturais e submeter-se aos valores impostos pelo elemento branco. Deveria deixar para sempre a selva que lhe dava tudo o que necessitava para viver bem e submeter-se a trabalhar de graça para o branco. Ele seria batizado com um nome católico e renegaria sua origem. Mas, nem assim ele seria um branco. Então, o que ele seria? O índio seria apenas o escravo do branco.

O índio teria todos os deveres e o branco todos os direitos!

Por isso, não é de estranhar que o índio tenha-se rebelado contra o branco. O índio não se submetia à escravidão. Quando o branco o mandava derrubar a mata para plantação, ao receber as primeiras chicotadas, o índio desaparecia no mato, que era realmente seu *habitat.*

Constituídas principalmente de analfabetos e incultos aventureiros, as tripulações dos veleiros e o lixo humano que a Europa mandava para cá se serviam tanto das índias aqui encontradas como das prostitutas europeias. Traziam nesse relacionamento, em virtude da falta de higiene e de escrúpulos em que viviam, doenças de toda sorte e dizimavam os nativos que, por não disporem de defesas naturais contra essas doenças, que para eles eram até então desconhecidas, morriam aos milhares. Eles, que haviam recebido as primeiras embarcações dos brancos como amigos, logo se deram conta de suas péssimas intenções e passaram, então, a hostilizá-los e persegui-los.

Logo ficou patente que o índio nunca seria um bom escravo e foi a partir desse conhecimento que a Igreja, defendendo os interesses dos ricos e poderosos representantes do rei e de seus cortesãos, sugeriu a liberdade para os índios em troca da vergonhosa escravidão para os negros.

Assim, por meio da Igreja Católica Apostólica Romana, e do bispo D. Bartolomeu de Las Casas, iniciou-se a importação de escravos negros, a princípio, por intermédio de mercadores árabes do norte da África e, posteriormente, estabelecendo bases europeias no próprio continente africano. Sua técnica consistia em aproximar-se de reis africanos, sugerindo-lhes que vendessem seus inimigos e prisioneiros.

Logo após a chegada das primeiras levas de escravos e constatando o alto preço que eles alcançavam no mercado, essa mesma Companhia tratou de estabelecer bases em território africano, procurando negociar diretamente com os chefes das tribos e reis africanos, visando a troca de mercadorias europeias, tais como contas, miçangas, artigos de couro trabalhado, armas etc., pelos inimigos e escravos do rei local. Que fique claro que a escravidão já era conhecida há milênios na África, todavia, ocorria de forma mais branda. Por exemplo: uma pessoa que devesse uma determinada soma em dinheiro a outra, se não pudesse pagar, tornava-se escravo de seu credor, sendo que este tinha o dever de alimentá-lo, vesti-lo e medicá-lo até que o devedor pudesse, pelo seu trabalho, quitar suas dívidas. Não raro um escravo chegava até mesmo a fazer parte da família, casando-se com familiares de seu proprietário ou, então, ganhando em serviços extraordinários o suficiente para que um dia pudesse comprar sua liberdade.

O escravo, principalmente no norte da África, tinha deveres, mas a lei reservava-lhe também direitos. Contudo, a escravidão do negro nas Américas não obedecia a esses mesmos critérios. O escravo aqui só tinha deveres, não lhe concediam qualquer direito e o pouco cuidado que recebia era única e exclusivamente para mantê-lo vivo e pronto para o trabalho.

Como as cortes espanholas e portuguesas estavam do outro lado do Oceano Atlântico e a estas só interessavam as riquezas que as colônias lhes pudessem enviar, ninguém se preocupava com o que pudesse acontecer ao negro ou ao índio, que eram obrigados a trabalhar de sol a sol para o branco, sob o látego do chicote à menor demonstração de fraqueza ou cansaço. O negro, no campo, produzia sua própria alimentação e o lucro desmedido de seu patrão, fazendo com que na Europa a nobreza vivesse coberta de ouro e na ociosidade, ocupando-se apenas de amenidades e perdendo-se em intrigas, sempre tentando obter mais, não se importando se isso custasse o sofrimento e o infortúnio de muitos. Graças a esse escravo infeliz, a Europa ganhava no campo religioso, principalmente, as maiores obras de arte, as mais suntuosas catedrais e o dinheiro corria fácil. O maior dos absurdos é que a própria Igreja possuía seus escravos e os explorava, sempre falando em nome de Deus, impondo ao negro suas crenças, seus hábitos e costumes.

A insensatez e a ganância eram tantas que muitos proprietários de escravos, embora casados com mulheres de sua própria raça, escolhiam entre as escravas mais novas e mais bonitas as suas amantes, o que não queria dizer que essas mesmas mulheres teriam direito a alguma coisa por isso: teriam de trabalhar, como escravas que eram, durante todo o dia e à noite, em vez de poder descansar, deviam submeter-se aos caprichos dos patrões. Entre esses, havia os que se gabavam de não permitir que qualquer uma delas passasse dos 10 ou 12 anos de idade em estado de virgindade; riam-se e faziam troça uns dos outros. Todos queriam provar que haviam desvirginado o maior número de negras e, naturalmente, que dessas relações nasciam muitos mestiços, filhos das negras escravas e de senhores brancos, negrinhos esses que, apesar de serem filhos do patrão, geralmente nada mais eram do que cativos. Via de regra, para evitar embaraços, eram vendidos a outros escravagistas, mal atingiam a idade de serem comercializados. Ao contrário do que contam os romances literários da época, eram raros, muito raros, os casos de reconhecimento paterno desses mestiços, que tinham um destino muito pior que o do negro, pois não eram pacificamente recebidos nem por brancos nem pelos negros, se bem que mais tarde passaram a ser confundidos com a comunidade negra, tão grande se tornou seu número. O fruto desse cruzamento racial haveria de dar, bem mais tarde, ao Brasil alguns de seus homens mais ilustres e inteligentes.

De índole pacífica, o negro adaptou-se relativamente à escravidão, mas, apesar de tudo, seu desejo de liberdade era inato e tão logo seus líderes se deram conta de que unindo forças conseguiriam vencer o branco, passaram a realizar verdadeiras fugas em massa. O escravo participava de tudo da vida do branco, tomando logo conhecimento de seus hábitos e costumes e da forma de administrar e se fazer submeter, tanto o escravo como os próprios brancos pobres (na verdade, o pobre não tinha muitos direitos, embora tivesse mais oportunidades e um melhor reconhecimento que o negro).

Quando um senhor de engenho precisava aumentar seu contingente de escravos, procurava sempre comprar um negro que não pertencesse à mesma nação ou, pelo menos, à mesma tribo ou família daqueles que já possuía. O ideal era que o grupo fosse o mais heterogêneo possível, para dificultar uma rebelião. Quanto mais diferentes fossem seus escravos, maior seria a possibilidade de que eles não se unissem, ou que a rivalidade entre as tribos africanas aflorasse, fazendo com que houvesse denúncias que impediriam fugas ou rebeliões.

Quando uma família de negros aumentava, os filhos eram vendidos para senzalas mais distantes. Não eram raros os casais separados após gerarem dois ou mais filhos, para que os laços familiares não se estabelecessem mais profundamente. Um negro forte para o trabalho, principalmente aquele de índole pacífica, deveria acasalar-se com qualquer escrava que o senhor lhe indicasse, independentemente de haver qualquer sentimento entre eles, mas sim para produzir, única e exclusivamente, escravos valiosos, a exemplo do que um zootecnista faz para conseguir um animal mais adequado às suas necessidades.

Uma das poucas atividades a que o índio se adaptou no contato com o elemento branco foi a do pastoreio de gado bovino, pois o gado criado em invernadas espalhava-se por onde a relva fosse mais atraente. Como homem das selvas, o índio acompanhava sem dificuldade alguma, acampando para pernoite onde o gado resolvesse pousar, vivendo dentro de padrões totalmente naturais, ou seja, junto à Natureza que ele tanto amava. Muito cedo, porém, ele também passou a nutrir pelo branco a natural hostilidade de quem é privado de seus direitos e aviltado, nascendo então uma amizade natural pelo elemento negro. A presença de estrangeiros brancos como ingleses, holandeses, etc., forçando situações e buscando apoio, ora do negro prometendo-lhe a liberdade, ora de determinados grupos de índios, explorando-lhes as naturais rivalidades tribais, fez com que, cada vez mais, o negro e o índio se aproximassem, pois ambos se igualavam nas suas misérias e infelicidades.

Mas logo o negro se daria conta de que só tinha em comum com os demais negros de uma senzala a cor da pele e o fato de ser escravo. Sem demora perceberam que o branco explorava suas naturais rivalidades pelo fato de falarem línguas diferentes e, então, suas lideranças passaram a buscar o único meio de fazer com que houvesse uma ligação mais profunda entre eles, algo que os impedissem de se perseguirem mutuamente em benefício do branco. Constataram então que, excetuando-se os mandingas, que eram muçulmanos, quase todos os demais traziam muito enraizadas suas crenças nos Orixás; que o culto animista às forças da Natureza ainda estavam profundamente enraizados em seus corações; que o caminho para a sonhada liberdade deveria começar ali. A partir desse momento, quando o sol se punha e a maioria dos negros e seus senhores dormiam, essas mesmas lideranças procuravam aqueles que sabiam ser capazes de aprender o culto aos Orixás e, guiados, não raras vezes, pelo índio amigo, conduziam-nos aos diferentes reinos da Natureza, onde dariam suas obrigações.

A crença em Deus e nos Orixás,* mais do que uma religião era também uma forma de garantir o apoio de todos. Estes sabiam muito bem que não haveria liberdade sem luta e que os brancos reuniam-se em sociedades secretas para se defenderem dos próprios brancos. Os negros sabiam que eles também deveriam organizar suas forças, voltadas para seus valores africanos, mas destacando o mesmo objetivo. A liberdade e o retorno à África, onde seriam novamente homens e não animais de carga, era um sonho docemente acalentado. Na calada da noite, o negro deixava a senzala e em sua companhia seguiam os iniciados. A estes eram ensinados as práticas e mistérios dos Orixás e, no dia seguinte, para que não houvesse suspeita do que ocorrera, o iniciado era obrigado a mostrar-se na Igreja e assistir a uma missa. Quando houvesse cumprido todos os preceitos e fosse raspado ritualmente, se lhe perguntassem o porquê da raspagem (fora do círculo dos negros), diria: "piolho, sinhô".

---

*N.E.: Sugerimos a leitura *Lendas da Criação*, de Rubens Saraceni, Madras Editora.

Nasciam, desta maneira, as raízes de um culto que não seria exatamente aquele que eles praticavam na pátria distante, mas sim que ganharia elementos culturais das diferentes nações africanas, somando-se a uma pitada dos hábitos cristãos que lhes eram impostos. Ao lado desse movimento e com infiltrações de elementos brancos que se solidarizaram com os negros, bem como de determinados sacerdotes católicos, que também se solidarizaram (nem todos os padres eram a favor da escravidão), surgiram também as chamadas confrarias dos homens de cor, que lutavam para comprar a liberdade dos principais líderes, para que estes pudessem melhor defender e preparar a luta pela liberdade de todos. Às vezes, alguns deixavam escapar algumas informações e vários deles eram eliminados, o que, longe de intimidar, só servia para acender no coração dos escravos, de maneira mais forte, a chama da liberdade tão almejada. Esse primeiro elo cultural-religioso tomou o nome de Candomblé (barracão), o local onde os negros se reuniam.

Com o advento da Lei Áurea e a libertação dos escravos, como estes não tinham recursos para retornar à pátria-mãe, à querida e distante África, o negro veria que a liberdade ainda não era total e que o branco, apesar de tudo, explorava-o de toda forma. Assim, procurando melhores oportunidades buscaram na cidade a garantia que lhes faltava no campo, principalmente nas grandes cidades como Salvador, na Bahia, e São Sebastião, no Rio de Janeiro, onde passaram a se reunir regularmente em torno dos candomblés, constituindo-se em verdadeiras famílias.

Com a incorporação de Pai Antonio no sr. Zélio de Moraes e a popularização do espiritismo kardecista, iniciou-se um novo culto, a Umbanda. Resultou que nesse culto a influência primeira do negro deu-se mais pela presença do Preto-Velho incorporado do que pela presença física do negro, embora posteriormente esta também se fizesse notar, principalmente pelas alterações introduzidas no rito e na denominação dada aos santos católicos, que passaram a ser confundidos com os Orixás africanos.

A Codificação da Religião Umbandista

Como já vimos anteriormente, na primeira manifestação de Pai Antonio no médium Zélio de Moraes, quando ele pediu o cachimbo que havia deixado na Terra, criou-se o hábito das oferendas na Umbanda (cachimbos aos Pretos-Velhos, charutos ao Caboclos, doces às Crianças, velas aos Orixás, etc.). A partir daí, tornou-se marcante, também, a introdução gradativa de alguns apetrechos africanistas no culto umbandista tais como o atabaque, o agogô, etc.

Essa adaptação da Umbanda a alguns aspectos do ritual africanista ocorreu, de certa foma, por causa de uma parcela significativa da população do Rio de Janeiro, os negros. A partir daquela libertação dada pelas palavras do Caboclo das Sete Encruzilhadas, permitindo a presença de médiuns que já haviam sido expulsos de mesas kardecistas, passamos a contar com um considerável número de médiuns de etnia negra que se sentiam à vontade pela ausência de preconceitos existentes na chamada mesa branca. O ritual umbandista foi enriquecido, então, com a familiaridade trazida dos candomblés e pela designação dos Santos Católicos com o nome de Orixás.

Verificamos ainda, que introdução desses rituais chegou a deturpar o ritual umbandista, visto que nas tendas nascidas da Tenda Nossa Senhora da Piedade nunca foram utilizados atabaques ou outro instrumento musical. Devemos ainda ressaltar que essas tendas possuíam nomes de santos católicos, nomes estes designados pelo Caboclo das Sete Encruzilhadas, quando das suas primeiras manifestações no médium Zélio de Moraes.

Notamos ainda hoje, em virtude da falta de codificação da religião umbandista, já que é uma religião nova (99 anos de existência), que muitas tendas apresentam um ritual indefinido e que muitas delas poderiam ser chamadas de tendas de "Umbandomblé" por conservarem mais ritos de Candomblé do que Umbanda. Queremos deixar claro que nada temos contra o Candomblé, somente achamos que cada religião deve ter o seu próprio ritual.

A falta de cultura da maioria dos diretores espirituais retarda a codificação da Umbanda. Muitas vezes o fator determinante para esse retardamento é a mentalidade fechada desses chefes de terreiro, por causa da ausência de cultura. Em nossa opinião, um chefe de terreiro não necessariamente deve ter cultura (conhecemos muitos que não a tem, mas que possuem bom senso), mas deve ter, pelo menos, o coração e a mente abertos, o que facilitaria o crescimento da religião umbandista.

Talvez o tempo possa permitir uma codificação, abrindo uma nova mentalidade dentro da religião. Atualmente, percebe-se que uma parcela das classes intelectuais vai aos poucos se aproximando desta religião e isso fatalmente criará maiores aberturas dentro dos terreiros. Serão abolidos então, rituais desnecessários, tal qual a matança de animais (vide capítulo "Magia Negra e os Exus na Umbanda").

Vários segmentos da religião umbandista vêm tentando uma codificação para todos os rituais. A Federação Umbandista do Grande ABC instituiu um conselho de culto que padronizou todos os seus rituais, trabalhos e sacramentos. As suas tendas filiadas seguem, na medida do possível, essa padronização.

No momento, a Umbanda é um grande barco onde se amalgamam e reajustam consciências em litígio e dá oportunidade a todos para evoluírem, exterminar o ódio e semear a fraternidade, o amor e a concórdia.

A Umbanda recebe adeptos de todas as classes sociais e etnias, abarca os que gostam dos ritos mais populares bem como aqueles que preferem os ritos esotéricos e iniciáticos. Como podemos ver, nas palavras de João Severino Ramos (*Umbanda e Seus Cânticos*, de 1953): *Hoje a Umbanda, que até aqui só nos revelara o seu aspecto exotérico, de ação pura, orientada no sentido de um infatigável combate à magia negra, caminha para uma nova fase em que, revelando-nos seu outro aspecto, o esotérico, ingressará no seu ciclo doutrinário, aliando a ação ao verbo.*

Caboclos, Pretos-Velhos, Crianças e outras entidades preocupam-se com o bem-estar espiritual de todos que a elas recorrem, independentemente do rito praticado neste ou naquele terreiro. É sempre importante lembrar as palavras do Caboclo das Sete Encruzilhadas:

> *Assim como Nossa Senhora da Piedade acolhe em seus braços o Filho, a Umbanda acolherá a todos que a Ela recorrerem nas horas de aflição.*

A codificação, se for necessária, virá com o tempo. Não devemos esquecer que a codificação do Catolicismo "engessou" o livre pensamento e as ações de seus adeptos. A codificação da religião muçulmana transformou os seguidores de Maomé em fanáticos religiosos. A codificação pode ser a "letra que mata". A Umbanda respeita todos os graus de consciência de seus adeptos que não são obrigados a praticar um único ritual. Será que a codificação da Umbanda não poderia afastar muitos de seus adeptos? Em abril de 2006, o Dalai Lama* visitou São Paulo e em uma entrevista foi questionado sobre a doutrina budista. A pergunta foi esta:

– Se a Ciência provar que a reencarnação não existe, qual será a atitude dos budistas?

Esta foi a resposta:

– Se a Ciência provar que a reencarnação não existe, nós mudamos as escrituras.

Uma resposta lúcida de quem sabe que as escrituras devem ser coerentes com o tempo vivido. Nada é imutável...

---

*N.E.: Sugerimos a leitura de *Dalai Lama – Sua Vida, Seu Povo e Sua Visão*, de Gill Farrer Halls, Madras Editora.

A Umbanda é uma Religião ou uma Seita?

Define-se como seita o grupo originado da discordância sobre algum ou vários pontos doutrinários de uma religião, passando os dissidentes a formar uma comunidade à parte.

A Umbanda foi, a princípio, uma seita já que era um grupo discordante do kardecismo preconceituoso da época, praticado no Brasil. Porém, a Umbanda conta hoje com mais de 40 milhões de adeptos só no Brasil. Ora, se o Judaísmo, que é uma das mais antigas religiões, não conta com esse número de adeptos, por que a Umbanda não deve ser considerada uma religião?

Transcrevemos, a seguir, a opinião de Cavalcanti Bandeira, extraído do livro *O Que é a Umbanda* (Editora Eco, segunda edição, Rio de Janeiro, 1973).

Não há como negar o caráter religioso da Umbanda, mesmo pretendendo situá-la apenas como um sincretismo religioso, ou ainda menos como um sentido folclórico, de qualquer forma demonstrando o fato real da tradicionalidade de sua existência e da antiguidade de suas raízes milenares.

O sincretismo religioso não invalida a classificação da terminologia como religião, pois, sendo a amálgama de concepções, fundamentos, preceitos e liturgia, origina um novo sentido filosófico e ritualístico do culto, que assim não desaparece, mas fica enriquecido num aspecto evolucionista. E esse foi o fenômeno comum que aconteceu com as chamadas religiões tradicionais e atuais, como ainda ocorre por vezes em função do meio ambiente ou de uma época, especialmente pela influência musical ou adotando explicações em sintonia com o avanço científico, portanto a premissa é válida para todos.

A Umbanda é uma religião eclética, porque, recebendo de vários cultos os seus adeptos, cada um imprime uma feição particular a que estava habituado, ao que acrescemos cultuações sincretizadas dos princípios que lhe deram origem, guardando, todavia, uma linha do passado milenar comum. Pode, assim, ser perfeitamente considerada uma religião do tipo eclesiástico, pois, como define H.S. Blanchkan estudando o ecumenismo, em seu livro A Religião numa Sociedade Moderna: *'chamamos de religião eclesiástica os cultos imemoriais encontrados em qualquer sociedade. A religião eclesiástica é uma religião tradicional, o interesse primário dos que preservam a tradição'. Afirmando, mais adiante, em sentido esclarecedor:*

'A religião eclesiástica ou o interesse eclesiástico não podem ser confundidos, entretanto, com o clero. O religioso profissional pode ser inexistente ou de pouca importância, sem que com isso os cultos desapareçam ou deixem de florescer. O interesse eclesiástico pode ser representado por profetas, videntes, exorcistas, médiuns, curandeiros e afins, ao invés de sacerdotes e manter a continuidade das tradições religiosas.'

O fervor religioso que se observa no meio umbandista e o apelo aos fundamentos tradicionais e milenares demonstram seguramente nossa afirmação de que a Umbanda é uma religião com suas características próprias, em evolução para um denominador comum doutrinário e ritualístico.

Como revela Ramatis, no livro *A Missão do Espiritismo*, psicografado por Hercílio Maes:

Raros umbandistas percebem o sentido específico religioso da Umbanda, no sentido de confraternizar as mais diversas raças sob o mesmo padrão de contato espiritual com o mundo oculto. Sem violentar os sentimentos religiosos alheios, os Pretos-Velhos são o denominador comum, capaz de agasalhar as angústias, súplicas e desventuras dos tipos humanos mais diferentes, desgalhando a mata virgem e abrindo clareiras para o entendimento sensato da vida espiritual, preparando os filhos e os habituando a soletrar a cartilha da humildade, para que mais breve entendam a própria mensagem do Espiritismo.

A Umbanda tem fundamento e quando for conhecido todo o seu programa esquematizado no Espaço, os seus próprios críticos verificarão a comprovação do velho aforismo de que "Deus escreve direito por linhas tortas".

Afirma mais adiante:

"Os católicos, protestantes e outros religiosos, ainda vinculados à adoração de imagens, a compromissos, rituais, cânticos, incenso, ladainhas, promessas, velas, santos e outros aparatos de culto exterior, encontram na Umbanda um clima algo familiar, que os acostumam no intercâmbio com os espíritos desencarnados, não sendo difícil, mais tarde, a sua adesão fácil aos postulados do Espiritismo, codificado por Allan Kardec. Malgrado os exotismos e anacronismos que os espíritas censuram nas práticas de Umbanda, os "neófitos" e "filhos de terreiro" aprendem, com os Pretos-Velhos e Caboclos, a realidade da doutrina da Reencarnação e da Lei do Carma, que não aprendiam, antes, nas igrejas e templos religiosos.

Embora possam se amedrontar com as práticas estranhas nos terreiros de Umbanda, os neófitos, provindos do Catolicismo e de outras religiões, terminam por acalmar os seus receios, diante das imagens conhecidas de Santo Antonio, São Jorge, São Jerônimo, São Sebastião, Nossa Senhora da Conceição, São João Batista, Cosme e Damião, assim como do próprio Mestre Jesus, consagrado como Orixá maior. Os "cavalos" e "cambonos", vestidos de branco, alguns envergando sobrepelizes bordadas e engomadinhas, lembram o sacristão auxiliando no ofício religioso; as velas, o turíbulo ou recipientes de defumadores, as flores, cânticos dolentes e pitorescos, os pontos vigorosos e as invocações de falanges associam-se à lembrança da Igreja nos dias festivos. Há cerimônias do humilde bater de cabeça nos altares, os "saravás", as passagens de linhas, a consagração a Zambi, ou Deus, a repartição do mel ou do "marafo", que lembram o momento da elevação do cálice, nas missas, ou a hora sagrada da comunhão. Nos dias de Iemanjá, a "Rainha do Mar", os babalaôs e as ialorixás promovem a grande procissão à beira-mar, entre cantos e louvores festivos na pitoresca oferta de presentes, de flores, sabonetes, toalhas e pentes de brancura imaculada, simbolizando a pureza de Maria, a mãe de Jesus.

Como Cresce a Umbanda?

IGREJAS VAZIAS?

Muitos são os fatores que levam ao crescimento (quase sempre desordenado) significativo da Umbanda. Um fato de relativa importância que devemos analisar é o crescente esvaziamento das Igrejas Católicas. Podemos atribuir o esvaziamento das igrejas à "má qualidade" do clero, que é assim desde o início da História do Brasil. Os sacerdotes católicos não conhecem a língua do povo e não têm diálogo com os fiéis. Em contrapartida, os babalaôs (ou os guias que incorporam) ouvem atentamente cada um que os procura. Ninguém aguenta mais as histórias dogmáticas da Igreja.

Como pouca gente pode pagar médico ou fazer psicanálise, então as pessoas recorrem a um bondoso Preto-Velho ou a um forte Caboclo. O confessionário foi substituído por um banquinho de Preto-Velho. Na Umbanda é possível desabafar as frustrações, decepções e angústias com o médium. A Igreja não atende às necessidades espirituais do povo, é um poder institucionalizado. Por isso o povo frequenta as igrejas, mas desabafa com os médiuns dos terreiros.

COMO NASCE UM TERREIRO DE UMBANDA?

Para explicar melhor este tema, vamos contar uma breve história fictícia, mas que ocorre em muitas ocasiões.

Geralmente, o adepto de hoje da Umbanda é aquela pessoa que, depois de passar por médicos, curandeiros, pastores, padres, adivinhos, gurus e outros tantos, encontra alguém que lhe sussurra ao ouvido:

— Eu conheço uma Mãe de Santo que vai resolver sua vida.

Pacientemente ele vai, com muita desconfiança, ao terreiro e lá chegando encontra várias pessoas vestidas de branco e pensa que foi levado a um hospital, pois está diante de vários enfermeiros. Recebe uma ficha, e depois de algum tempo ele ouve os atabaques soarem e tem início uma "cantoria" totalmente desconhecida para ele.

Depois de ouvir alguns cânticos, algumas pessoas vestidas de branco se ajoelham, batem no peito e soltam um grito longo e estridente; outras se abaixam como se fossem de muita idade. A essa altura, ele está ainda mais confuso e pensa que foi parar no manicômio. Sente uma vontade enorme de ir embora, mas alguém chama o número de sua ficha e ele resolve entrar.

Alguém lhe diz:
– Venha falar com o Preto-Velho.
– Com quem? Pergunta ele sem entender nada.
– Com "Pai João", – esclarece a pessoa de branco.
Ele olha para frente, para os lados do terreiro, e fala:
– Não vejo Preto-Velho algum.
– Nem vai ver, – responde a pessoa de branco – ele está incorporado na "Mãe Laurentina", a chefe do terreiro.
– Venha, ele está à sua espera.

Ele, então, senta-se à sua frente, em um banquinho de madeira, e leva logo uma baforada de cachimbo na cara. Nada consegue entender do que fala a entidade, pois é um tal de "mi zim fio" pra cá "mi zim fio" pra lá, e nada, ele não entende coisa alguma. Finalmente, um cambono percebe seu embaraço e vai traduzir o que diz o Preto-Velho.

Após alguma conversa com a entidade, ele fica sabendo que é médium e precisa vestir roupa branca para trabalhar no terreiro. Se ele for uma pessoa vaidosa, pensará:

"Que bom, sou médium". Mas, se é uma pessoa humilde, pensa: "E agora? O que é que eu faço com isso?"

Mais tarde, o cambono explica-lhe que, passando a trabalhar no terreiro, a sua vida irá melhorar gradativamente. Como ele já passou por vários lugares e nada mais tem a perder, concorda com a ideia e, na semana seguinte, já faz parte da corrente mediúnica, cambonendo as entidades e desenvolvendo a sua mediunidade.

Após algumas semanas, ele sente sua vida mais equilibrada e quando menos espera ajoelha-se, bate no peito e grita. Ocorre sua primeira incorporação. Passa o tempo e ele, servindo de "cavalo" às suas entidades, começa a dar consultas e passes mediúnicos. Cada vez mais suas entidades são procuradas pelos assistentes. Começa então seu maior problema: os ciúmes de alguns médiuns mal preparados mental e espiritualmente.

Um dia, um desses médiuns chega ao pé do ouvido da Mãe de Santo e diz: "Ele está querendo tomar seu lugar". A Mãe de Santo determina, então, muito democraticamente: "A partir de hoje, cada médium só pode dar três consultas". A situação torna-se insustentável e um dia ele coloca a imagem da sua entidade debaixo do braço e diz: "Não trabalho mais neste lugar".

Vai para casa, coloca a imagem em cima do guarda-roupa e, se é mulher, deita-se e chora a noite inteira; se homem, fala meia dúzia de palavrões, jura que nunca mais irá incorporar e pensa que seus problemas acabaram. Ledo engano: é aí que eles começam.

Alguns assistentes que se consultavam com as suas entidades ficam preocupados com sua ausência e começam a indagar do seu paradeiro. Alguém chega a essas pessoas e diz: "Olha, ele não trabalha mais aqui, mas eu sei onde ele mora".

Começa então uma romaria à casa do médium e essas pessoas imploram por sua ajuda, pois estavam se consultando com suas entidades e os trabalhos ficaram pela metade. Pedem, então, que o médium incorpore pelo menos uma vez para terminar o trabalho começado. O médium tira a imagem de cima do guarda-roupa e, ali mesmo, na sala ou na cozinha, incorpora as entidades para atender àquelas pessoas.

A procura pelo médium torna-se cada vez mais intensa e os trabalhos passam a ser realizados na garagem. A essa altura, alguém mais preocupado diz: "Vamos abrir legalmente um terreiro antes que a polícia nos prenda". Está funcionando mais um terreiro de Umbanda com seus novos adeptos.

Quando o terreiro é bem dirigido, cresce material e espiritualmente, aumentando cada vez mais o número de médiuns, cambonos e assistentes. Se o terreiro não é bem dirigido, dará origem a novos médiuns descontentes que, possivelmente, originarão novos terreiros.

Este é um dos motivos do crescimento da Umbanda, muitas vezes de forma desordenada e muitas vezes sem a devida preparação dos seus dirigentes.

Sincretismo Religioso

O caldeamento das raças é o impulso irresistível que vai nos levando para a igualdade étnica. As invasões, as conquistas bélicas, as expedições terrestres ou marítimas, o comércio, o tráfico de escravos, bem como outros fatores ponderáveis, o turismo inclusive, vêm, no transcurso das idades, promovendo e forçando as quatro raças a um contato providencial.

(João Severino Ramos)

O sincretismo religioso no Brasil surgiu com a escravatura do índio pelos primeiros colonizadores. O nosso índio, em função da sua liberdade natural e de seu espírito guerreiro, não podia aceitar a escravidão. Tinha uma religião que se fundamentava na crença do espírito e que possuía os seus rituais. Não se adaptou ao cativeiro e, então, o colonizador trouxe da África o elemento negro, que oferecia melhores condições para a lavoura.

Formou-se, assim, um ciclo branco-índio-negro que contribuiu para o complexo da formação brasileira, sobressaindo-se uma constante religiosidade em vários aspectos.

Os escravos nada traziam na viagem, sendo necessário aqui improvisar os objetos de culto com os utensílios utilizados nas cozinhas ou nas senzalas.

Os negros escravos tinham desenvolvido e sedimentado o fundamento religioso das divindades, rituais, liturgia e lendas. Dentre eles, muitos iniciados cuidavam com fidelidade dos conhecimentos recebidos, sob sigilo, constituindo segredo que não podia ser revelado.

Os negros apresentavam um grau de cultura mais elevado que o índio e, em alguns casos, eram mais intelectualizados que alguns senhores brancos que lhes impunham uma religião por meio de imagens e algumas rezas, que não entendiam, sem um fundamento, à custa de castigos, privações e sofrimentos.

O negro não entendia a religião católica, havendo uma má assimilação no que havia de semelhante na correlação com as suas divindades tradicionais, ocorrendo então uma fusão das divindades para que se pudessem praticar os seus rituais e cultuar os Orixás que lhe eram próprios. Quando eram questionados pelos brancos, preferiam dizer que estavam homenageando "os santos", resultando assim em uma fusão de crenças e divindades de vários aspectos. O colonizador permitiu, desse modo, que se cultuasse a religião à sua maneira, modificando a tradição dos cultos primitivos, porque a ruidosidade e complexidade do ritual era para o negro um lenitivo, amenizando a saudade da família ou da terra natal.

O sincretismo com o Catolicismo atingiu tal ponto que é comum se cultuar uma mesma entidade, de modo indiferente, com nome de Santo ou Orixá africano, não se podendo, muitas vezes, diferenciar onde termina um e começa o outro.

Existe uma convergência de rituais e liturgia, que tende a se acentuar com o sentido ecumenista pela grande disseminação da Umbanda no Brasil e seu grande relacionamento com o altar e práticas católicas.

É bom lembrar que o sincretismo ocorrido na Umbanda é diferente do ocorrido no Candomblé. No Candomblé, os Orixás eram sincretizados com os santos católicos que os negros eram obrigados a cultuar. A Umbanda nasceu com santos católicos, e o sincretismo com os Orixás foi trazido gradativamente pelo elemento negro oriundo dos cultos africanos.

Resistência e Candomblé

Em matéria publicada no jornal D.O. LEITURA, suplemento cultural do *Diário Oficial do Estado de São Paulo* em edição comemorativa dos 100 anos da abolição escravagista, de 1988, Diamantino F. Trindade diz:

Entre as muitas formas de resistência ao cativeiro, observadas desde o início do regime escravagista no Brasil, uma das mais notáveis é a que se deu através da religião. Enquanto o regime procurava desorganizar a identidade cultural dos africanos, estes contra-atacavam no mesmo nível, através de engenhoso e funcional sistema de sincretismo religioso.

Quando um senhor-do-engenho necessitava aumentar o seu número de escravos, procurava sempre comprar um negro que não pertencesse à mesma nação ou, pelo menos, à mesma tribo ou família de escravos que já possuía. O ideal era que os escravos fossem de grupos mais heterogêneos possíveis, pois isto diminuía a possibilidade de que eles se unissem e causassem uma rebelião.

Quando ocorria o aumento de uma família de negros, os filhos eram vendidos para senzalas mais distantes e, muitas vezes, os casais eram separados após a geração de dois ou mais filhos. Isso fazia com que os laços familiares não se estreitassem.

Muito cedo, os negros entenderam que só tinham em comum com os demais membros da senzala a cor da pele e o fato de serem escravos. Sentiram que o branco explorava suas rivalidades naturais e suas línguas diferentes. Suas lideranças passaram, então, a buscar o único meio de fazer com que houvesse uma ligação mais intensa entre eles. Perceberam que, com exceção dos negros mandingas, que eram muçulmanos, a maioria trazia a crença nos Orixás.

A crença em Zambi (Deus) e nos Orixás, mais do que uma religião era também um meio de garantir a solidariedade de todos. Sabiam que não haveria liberdade sem luta e para isso era necessário unirem-se em torno dos mesmos objetivos.

Quando, à noite, a maioria dos negros e senhores brancos dormiam, procuravam encontrar aqueles capazes de aprender o culto aos Orixás e, muitas vezes guiados pelos índios amigos que os conduziam aos diferentes reinos da Natureza, os "iniciados" davam suas obrigações aos Orixás.

No dia seguinte à iniciação, para que não houvesse suspeita do ocorrido, o iniciado devia mostrar-se na Igreja. Essa prática ficou muito famosa nos candomblés da Bahia, onde o iniciado era obrigado a assistir a uma missa na Igreja do Senhor do Bonfim, prática que ainda hoje é usada.

Nasciam, deste modo, as raízes de um culto que não seria exatamente aquele que eles praticavam na terra distante, mas que reunia elementos das várias nações africanas, somados aos hábitos cristãos que lhes eram impostos pelos senhores brancos. Essa primeira ligação cultural religiosa recebeu o nome de Candomblé.

O negro africano, quando cumpria sua obrigação, retirava uma pedra do lugar sagrado, denominada de "otá". Essa pedra era cultuada como objeto sagrado pelo resto de seus dias. As imagens de santos católicos, muito populares no período colonial, eram, na sua maioria, esculpidas em madeira. Para não trair os seus deuses de origem, o negro habitualmente escavava a imagem do santo católico e introduzia nessa escavação o otá correspondente ao Orixá. Desta forma, ele poderia voltar-se para uma imagem do santo católico e reverenciar o seu Orixá.

O branco acabou por descobrir que os negros escavavam as imagens e eles justificaram-se dizendo que a imagem oca não trincava e que a pedra em sua base servia para lhe dar maior estabilidade. O branco, esperto, passou a utilizar-se dessas imagens para ocultar, no seu interior, fumo, ouro e pedras preciosas. Essa imagem era vedada com uma massa preparada com cera de abelhas e serragem e enviada à Europa sem pagar os direitos do rei, surgindo dessa forma de contrabando a expressão "santo do pau oco" como sinônimo de coisa maldosa.

O negro passou, assim, a homenagear o seu Orixá diante de uma imagem de um santo católico, resultando daí o início do sincretismo de crenças e divindades de vários aspectos.

Às vezes o dono da fazenda, o senhor das terras, tinha um santo de devoção pessoal e obrigava o negro a cultuar esse santo. Isso justifica o fato de, em Salvador, Ogum ser sincretizado com Santo Antonio e não com São Jorge, e assim acontece com os outros santos e Orixás.

Nos seus sonhos de liberdade, o negro africano via em Ogum, o Orixá da guerra, a força de que necessitava para conseguir sua liberdade. Um dia o negro empunharia a lança e a espada de Ogum, mataria os brancos, vingando amigos e parentes mortos por estes, tomaria de uma de suas grandes canoas (caravelas) e voltaria à sua terra natal. Seria Ogum que os ajudaria na batalha e lhes daria força e coragem de que tanto necessitavam.

A figura de São Jorge nos mostra um homem todo coberto com uma armadura de aço, ferindo, com uma lança, o dragão, símbolo do mal. O Ogum que o negro conhecia, e que era o Orixá do ferro, era um Orixá guerreiro. O branco lhe impunha a imagem de São Jorge e o negro cultuava Ogum, disfarçado na imagem do santo guerreiro.

Impedido de cultuar Iemanjá, a mãe dos deuses, o negro cultuava Maria, a mãe de Deus, como lhe ensinavam os brancos. Externamente e diante dos brancos, ele era um cristão que adorava Maria, mas, no seu íntimo, era Iemanjá a quem ele se referia.

O sincretismo processou-se nas diferentes regiões do país, segundo a crença ou devoção das figuras mais importantes e representativas das várias localidades. Daí, para o negro ou mestiço, a Iemanjá africana passou a confundir-se com Nossa Senhora dos Navegantes, na Bahia; Nossa Senhora da Glória, no Rio Grande do Sul e Nossa Senhora da Conceição, no Rio de Janeiro e no Vale do Paraíba. Em consequência do sincretismo com Nossa Senhora da Conceição, posteriormente passou a confundir-se também com Nossa Senhora da Conceição Aparecida.

Os negros consideravam Xangô como um rei, um sábio. Isso os levou a homenagear Xangô na presença das imagens de Moisés e São Jerônimo, homens maduros e sábios, transmissores orais e gráficos dos ensinamentos divinos.

O Orixá Iansã é sincretizado com Santa Bárbara pela transferência do poder do Orixá sobre o fogo, referência ao raio que teria, de maneira justiceira, punido Dióscoro, o pai da santa, quando se preparava para decapitá-la com a espada.

Os princípios cristãos passaram a admitir a ideia da Maria virgem, daí dar-lhe, posteriormente, o nome de Nossa Senhora da Conceição. Ora, por uma questão de lógica, os africanos reduzidos à condição de escravos em terra cristã só poderiam encontrar similitude, para efeito de sincretismo, entre a mãe de Jesus e a doce menina Oxum, um Orixá jovem e de rara beleza.

Para esconder o otá consagrado a Oxóssi, o negro africano encontrou imagem ideal em São Sebastião, pois esse santo se apresenta seminu, amarrado a uma árvore (mata) e crivado de flechas. Oxóssi é o Orixá que conhece cada animal da mata e os caça com auxílio do arco e da flecha. Esse fato provocou um rápido sincretismo entre São Sebastião e o Orixá da mata e da caça, Oxóssi.

Sendo considerado o mais velho Orixá feminino do panteão africano, Nanã Buruquê facilmente encontrou similitude em Sant'Ana. Como o negro africano era obrigado a aceitar a cultura e a religião impostas pelo branco, a avó de Jesus poderia ser comparada à velha Nanã. Afinal, não cabe a ela a função de zelar pelo final de suas vidas?

Já para Obaluaiê coube o sincretismo com São Lázaro, pois esse santo é representado com o corpo cheio de feridas, enquanto o Orixá Obaluaiê é o deus da varíola e das doenças.

Dentre todos os deuses yorubás, Oxalá é o que ocupa o lugar de maior destaque, recebendo ainda os nomes de Obatalá e Orixalá. Segundo o Candomblé, Oxalá é o Orixá supremo, o criador do mundo. O negro ouvia constantemente, nas igrejas, o nome de Jesus e pouca ou nenhuma referência ao Deus Pai do Velho Testamento. Em função disso, passou a ver na imagem de Jesus a figura de Oxalá, o Criador.

Várias foram as formas de resistência dos negros africanos às forças de alienação e extermínio que enfrentavam, porém o sincretismo religioso, além de uma forma de resistência, constituiu também um modo precioso de preservar a sua cultura religiosa. Apesar disso, dos 400 Orixás cultuados pelos africanos de então, apenas 16 conseguiram "sobreviver" às perseguições e aniquilamento dos patrimônios culturais e religiosos africanos, obedecendo a sábias determinações do Astral Superior.

OS ORIXÁS E AS
SETE LINHAS DA UMBANDA*

De todos os assuntos discutidos na Umbanda, certamente o que mais provoca controvérsias é o das inúmeras linhas ou, mais propriamente, "pseudolinhas" de Umbanda que, via de regra, encontramos nos mais diferentes terreiros.

Uma pesquisa realizada junto a um grupo de 48 alunos do curso de Formação de Sacerdotes de Umbanda da Federação Umbandista do Grande ABC revelou que, no cômputo geral, esses alunos conheciam 33 linhas de Umbanda.

Erroneamente, costuma-se chamar linha de Umbanda toda e qualquer manifestação espiritual. Determinadas pessoas costumam enquadrar espíritos que, em vida, pertenceram a determinadas categorias profissionais ou viveram em determinadas regiões, como pertencentes a uma certa linha de Umbanda. Exemplos disso são as "linhas" de Baianos e de Boiadeiros.

Existem ainda os que consideram as mil e uma subdivisões existentes em uma mesma linha, como sendo também uma linha de Umbanda. Como exemplos podemos citar a linha de Oxóssi e as "pseudolinhas" correspondentes tais como: linha das Matas, linha de Pena Branca, linha de Jurema, etc.

Na realidade, as linhas de Umbanda são apenas sete e absolutamente não comportam um universo quadrado com subdivisões exatas de sete em sete como pretendem alguns autores. Esses autores se esquecem ou desconhecem o importante papel desempenhado por Zélio de Moraes e pelo seu

---

*N.E.: Sugerimos a leitura de *As Sete Linhas de Umbanda*, de Rubens Saraceni, Madras Editora.

guia espiritual, o Caboclo das Sete Encruzilhadas, perdendo-se em meio a um mundo de desinformações, quando na verdade, basta para tanto um estudo de mente aberta sobre as raízes da Umbanda, como culto de terreiro. Veremos, então, que existe uma lógica impressionante, um crescendo notável que envolvendo os diferentes aspectos da existência humana, vai do nascimento à morte, do romper da aurora ao pôr do sol.

A palavra Orixá significa literalmente "Senhor da Cabeça" e como tal o "Santo" principal a que está ligada espiritualmente qualquer pessoa humana. "O Santo da Cabeça" é uma expressão bastante significativa e de acepção universal, sendo bastante comum o seu uso.

Em relação ao Candomblé, há uma nítida diferenciação no que se refere aos Orixás. O umbandista parte do princípio de que todo o Orixá é santo, mas nem todo santo é Orixá, em virtude do plano de hierarquia, de acordo com as missões que desempenham ou desempenharam na Terra.

O santo não é a imagem, nem a história de sua vida ou de seus milagres, é um foco irradiando forças espirituais em que possa atuar, é um plano de vibrações na escala da espiritualidade, acudindo os adeptos na busca do aperfeiçoamento.

Quando se fala em Orixá, no conceito africano, como força da natureza divinizada, compreende-se uma significação semelhante ao Deva do Hinduísmo, paralela ao que entendemos como seres ou divindades relacionadas com o homem, mas habitando os mundos que lhes são próprios.

O Orixá, em função da sua vibração na sua falange, dentro da sua linha, influi diretamente nos mensageiros espirituais que são as entidades que incorporam o médium para os trabalhos a serem realizados. Na dualidade Santo-Orixá, há os que viveram e os que nunca tiveram passagens terrenas, da mesma maneira que os anjos e arcanjos, todos centralizando focos de magia astral que se procura fixar em símbolos, cores e características litúrgicas, como forma de entrosamento entre o crente e o plano divino. Dessa maneira, permite ao homem que, pelo uso instrumental ou material dos objetos rituais, possa fixar o pensamento para sintonizar na intimidade do ser a convicção da sua fé e ingressar na iniciação religiosa, galgando o desenvolvimento espiritual.

O Orixá age no campo astral, imperceptível ao nosso conhecimento, para ser cultuado de maneira a haver entendimento pela maioria. Tem sido representado de forma perceptível aos nossos sentidos, simbolicamente, ou pertencendo a linhas divisórias de vibrações, como se dominassem determinados campos humanos ou naturais.

Os Orixás, na Umbanda, entrelaçam-se nas linhas de cultuação, que apresentam muita controvérsia em suas denominações e divisões abrangendo reinos e falanges, de tal modo que não há uma unidade de entendimento, sendo geralmente distribuídos em Sete Linhas.

Leal de Souza foi o primeiro ensaísta de uma espécie de codificação umbandista e, em 1925, tentava classificar (segundo o seu conhecimento de então) as Sete Linhas da Umbanda sincretizadas com os santos da Igreja Católica. Em entrevista a um jornal do Paraná, chamado *Mundo Espírita*, organizou da seguinte maneira as Sete Linhas:

OXALÁ (Nosso Senhor do Bonfim)
OGUM (São Jorge)
EUXOCE (São Sebastião)
SHANGÔ (SãoJerônimo)
NHAN-SAN (Santa Bárbara)
AMANJAR (Nossa Senhora da Conceição)
AS ALMAS

Devido ao seu prestígio e conhecimento, o Primeiro Congresso Brasileiro de Espiritismo de Umbanda, realizado em 1941, no Rio de Janeiro, aprovou essas Sete Linhas.

A Tenda Nossa Senhora da Piedade tornou-se muito conhecida pelas curas "milagrosas" e pelos fatos excepcionais e, quanto mais se repetiam, maior era o número de adeptos.

Por inspiração do Caboclo das Sete Encruzilhadas, os médiuns mais capazes foram sendo preparados para a importante missão de levar adiante o trabalho pioneiro de Zélio de Moraes que, incentivando novos médiuns, chegou mesmo a financiar contratos de aluguéis e ser, ele próprio, fiador, em muitos casos, dos imóveis onde seriam instaladas novas tendas, até que estas tivessem condições de se manterem com a contribuição dos seus próprios médiuns.

Assim foram surgindo outras tendas; a *Tenda Nossa Senhora da Guia*, com Durval de Souza; a *Tenda Nossa Senhora da Conceição*, com Leal de Souza; a *Tenda Santa Bárbara*, com João Aguiar; a *Tenda São Pedro*, com José Meireles; a *Tenda Oxalá*, com Paulo Lavois; a *Tenda São Jorge*, com João Severino Ramos e a *Tenda São Jerônimo*, com José Álvares Pessoa. Uma outra tenda nascida da Tenda Nossa Senhora da Piedade, e que ganhou projeção no Rio de Janeiro, foi a *Tenda Mirim*, fundada em 13 de outubro de 1924.

Com o decorrer dos anos, novas tendas foram surgindo no Rio de Janeiro e em outros estados, favorecendo a rápida expansão do Movimento Umbandista. Surgiram então as tendas *Cosme e Damião, Nossa Senhora de Sant'Ana, São Lázaro, Nossa Senhora dos Navegantes, Nossa Senhora da Guia* e outras.

Inquirido, por Ronaldo Linares, a respeito de todas as tendas levarem o nome de santos católicos (na época o Catolicismo era a religião dominante), Zélio de Moraes justificou dizendo que tinha formação católica e que, quando iniciara o culto umbandista, o fizera a mando do Caboclo das Sete

Encruzilhadas. Quase nada conhecia do africanismo. Em sua tenda, grande parte do que existia de africanismo se instalara em consequência da presença do Preto-Velho incorporado e não da presença física do elemento negro.

Embora existissem negros desde o princípio frequentando a Tenda Nossa Senhora da Piedade, estes constituíam uma minoria, pois a maioria dos elementos negros procurava mais os candomblés, coisa em que o branco era considerado estrangeiro na época.

Desde o seu início, a Umbanda nasceu caritativa. O sr. Zélio de Moraes proibia que se executassem cobranças de trabalhos espirituais. Os membros do corpo mediúnico e os adeptos se cotizavam para fazer frente às despesas e, de vez em quando, alguém em melhor situação na vida fazia alguma coisa mais concreta, materialmente, pela tenda, como doações em dinheiro, mas cobrar por trabalhos não era permitido. Quando do nascimento das primeiras tendas mencionadas anteriormente e da delegação dos poderes para gerir essas mesmas tendas, alguns dos novos filhos de fé, a exemplo do que ocorre em outras formas de culto, desvirtuaram, em parte, os ensinamentos do Caboclo das Sete Encruzilhadas.

Zélio de Moraes esclareceu que destas tendas originárias da Tenda Nossa Senhora da Piedade deveriam nascer as Sete Linhas da Umbanda e que seriam representadas por sete cores.

A primeira linha é caracterizada pela cor amarelo-ouro bem clarinho e que seria a cor da Tenda de Santa Bárbara. O Orixá correspondente é Iansã que se caracteriza por ser um Orixá guerreiro e que domina também as águas como todas as Santas Senhoras, mas exerce, além disso, seu domínio sobre os raios, as chuvas e os ventos.

Iansã simboliza a força mágica capaz de afastar os males e as influências negativas, amparando as súplicas dos que recorrem ao seu poder vibratório, como o poder de descarregar cargas nocivas de enfeitiçamento. O amarelo-ouro sobre fundo branco é também a cor do Papa.

A segunda linha é caracterizada pela cor rosa, correspondente a Tenda Cosme e Damião. É a linha dos espíritos das crianças, espíritos puros em corpos físicos recém-libertos do útero materno, espíritos que não tiveram a oportunidade de ampla vivência em corpos físicos, considerados ainda aprendizes. O Orixá correspondente é IBEJI. A universalidade dessa culturação religiosa abrange povos que viveram em épocas diferentes e distintas, bem como locais distanciados na face da Terra, em correspondência com áreas espirituais que envolvem todas as falanges e foram simbolizadas nos cultos dos gêmeos. Nessa compreensão, apresenta um ritual apropriado, segundo antigas práticas, mas com suas raízes milenares no âmago espiritual de todos os povos, quando nem se pensava ainda em uma estruturação dos cultos espíritas.

Os cultos africanos, introduzidos pelos nagôs e bantos, trouxeram uma noção de um transe infantil, denominado "ERÊ" e uma concepção singular do Orixá Ibeji, representado por gêmeos, sob várias denominações (Alabá, Idolu, Cosme e Damião, Crispim e Crispiniano, etc). Esse transe era muito considerado pela limpeza fluídica que fazia nos filhos de fé, ao final das práticas de terreiro.

É interessante lembrar que os grandes homens também já foram crianças. Como existem as outras falanges de Caboclos e Pretos-Velhos, existem também as falanges de Crianças, sendo esta a única falange que consegue realmente dominar a magia, devido à pureza de suas vibrações.

A terceira linha é caracterizada pela cor azul. Esta é a única linha que possui mais de uma representação, com vários santos católicos sincretizados com ela, a saber: Nossa Senhora da Glória, Nossa Senhora da Conceição, Nossa Senhora dos Navegantes e Nossa Senhora da Guia. O Orixá correspondente é Iemanjá. Essa linha é também a primeira a ter um nome negro e que significa "Mãe Peixe". A cor azul de Iemanjá lembra o período em que a vida é gerada no útero materno, é o próprio e complexo ato da fecundação, seguido do período de desenvolvimento do feto no meio aquoso salino. Daí ser confundido ou bipartido, dando-se a Nossa Senhora da Conceição, a mãe de Jesus, o sincretismo com o Orixá da água-doce ou potável, dos rios e cachoeiras, o Orixá OXUM.

Iemanjá é o Orixá que possui maior cultuação e os milhões de adeptos a homenageiam, coletivamente, ao findar e iniciar de cada ano fazendo a entrega das oferendas apropriadas. É, seguramente, a maior demonstração popular religiosa no Brasil ao despontar o 1º de janeiro de cada ano.

Oxum é o Orixá que domina a água-doce, o arco-íris e as suas ligações. Porém, exerce o domínio mais acentuado nas cachoeiras, em um sentido geral de purificação. Consolida no filho de fé a força mágica (axé) pelas vibrações que o envolvem, ou fortifica a mediunidade nos banhos de cachoeira.

A quarta linha é caracterizada pela cor verde, representativa da Tenda São Sebastião. Corresponde ao elemento verde da Natureza, as matas e o povo que a habita, os chamados índios e seus mestiços, os Caboclos. O Orixá correspondente é OXÓSSI. O culto a Oxóssi envolve uma vasta falange de Caboclos, que representam o elemento jovem, o espírito idealista, sendo honestos e desinteressados.

Na Umbanda, esse Orixá recebeu ou absorveu a cultuação dedicada a Ossanha, bem como as suas prerrogativas no campo das ervas medicinais, sendo de muita expressão na magia das plantas. É compreendido ainda como desbravador das almas, no aspecto espiritual, daí o sentido e força na manifestação dos Caboclos e de suas falanges, em uma altivez encorajadora dos filhos que ficam animados pela segurança dessas vibrações firmes.

Oxóssi, por meio dos fluidos das ervas, prepara e limpa com os seus banhos todas as vibrações inferiores, harmonizando-as com perfumes e aromas florais. É o uso da força vital cósmica em relação às épocas lunares ou solares, que se refletem nas matas e na seiva das plantas, em consonância com as revoluções do Sol e da Lua, como na Igreja Católica determinam os ciclos das festas dos santos.

Em seus trabalhos, os Caboclos controlam o íntimo dos consulentes com aplicações de fluidos perfumados das matas, controlando os impulsos instintivos de cada ser. Com essa ordem de emanações hauridas das florestas, coloca em planos intermediários determinadas vibrações para começar a cortar a magia no astral. É o equilíbrio das forças ante a magia e a demanda. É a força cósmica da Natureza comandando a mente por intermédio dos aromas e princípios curativos das ervas, inclusive da descarga humana, por meio dos banhos e defumações purificadoras que recebem das selvas, os elementos primordiais dessas magias.

A quinta linha é caracterizada pela cor vermelho, representando a Tenda São Jorge. O Orixá correspondente é OGUM, patrono da força que garante a execução da lei. É a força aplicada à manutenção da ordem, é constituída pelos espíritos de guerreiros. Ogum é um Orixá muito cultuado na Umbanda, apresentando várias entidades que se manifestam nos terreiros sob os mais variados nomes, entre eles Ogum Beira-Mar, Ogum Rompe Mato, Ogum Nagô, Ogum Sete Ondas, Ogum Yara, etc.

Ogum simboliza o vencedor de demandas com vibrações positivas, escolhidas para combater as forças do mal, luta contra as magias antepondo-se aos espíritos negativos. Com sua espada corta a demanda sem interferência do corpo material encantado. Com ela atinge o alvo de mais alta expressão nos campos da magia. Ogum determina a luta nesses setores vibratórios de batalhas enfrentando todos os planos de malefícios para aliviar o corpo enfeitiçado ou a mente ensombrada pelo reino das trevas.

A sexta linha é caracterizada pela cor marrom, representando a Tenda São Jerônimo. Esta linha é constituída pela força da justiça. Seu Orixá correspondente é XANGÔ e significa a força que resolve as pendências, dando a quem é devido o que lhe é de direito. E sempre representado como o homem no apogeu de seu desenvolvimento físico e mental, o homem maduro.

Na Umbanda, Xangô é comumente representado pela imagem de Moisés de Michelângelo, tendo ao lado o leão submisso que significa a vitória da razão sobre a força.

A invocação de Xangô envolve desde os Doze Apóstolos a todos os santos velhos, evidenciando a sabedoria que só o tempo e a experiência coroam, conjugando-se na sublimação da justiça, em consonância com os signos zodiacais.

No apelo comum a Xangô, afluem as forças poderosas que reluzem tal qual relâmpago na continuidade do trovão, cujo domínio está sob seu poder e têm no sílex ou meteorito os simbolismos imutáveis, inflexíveis da justiça, sob cuja égide é invocado. Xangô representa a lei de causa e efeito lembrando o carma; como ribombar do trovão quebra o silêncio envolvente; como ecoa na mata o estrépito da árvore abatida pelo machado, ou estronda a pedra que rola na cachoeira. Recorrem a Xangô todos os injustiçados, elevando as vibrações de suas preces e apelos, confiantes em um amanhã de redenção espiritual.

A sétima linha é caracterizada pela cor violeta ou roxo, correspondente a Tenda de Sant'Ana que representa o elemento velho e senil. E o período em que, consciente de toda a sua existência, mas já ocupando um corpo gasto, o indivíduo espera a libertação que virá com a morte.

O Orixá correspondente é NANÃ BURUQUÊ. Esse Orixá é considerado como a Senhora Suprema da Umbanda. O culto que lhe é dirigido é mais restrito, assim como a sua invocação é menos pronunciada, entretanto, são altamente considerados os filhos de Nanã, os quais se revelam calmos, pacientes e ponderados. Representam, entretanto, uma torrente de forças e segurança na direção dos trabalhos, sendo Nanã carinhosamente chamada, pelos adeptos, de Vovó da Umbanda.

Finalmente temos o preto, correspondente a Tenda de São Lázaro. É a ausência da cor e da luz da vida. Zélio de Moraes explicou que as cores branco e preto não fazem parte das sete linhas, pois o branco que é a presença da luz, existe em todas elas e o negro, que é justamente a ausência da luz, está justamente na falta delas.

O santo católico São Lázaro é sincretizado com o Orixá OBALUAIÊ ou OMOLU. Esse Orixá chefia a falange dos mortos, mas não no sentido distante, de muito tempo, por ser uma divindade ligada à Terra, que procede a purificação material dos corpos, por intermédio de suas vibrações especiais como que surdas e melancólicas, que ajudam a despir o envoltório grosseiro do físico sujeito às vicissitudes e à morte. Esse Orixá encaminha as almas dos recém-falecidos e delas absorve os fluidos que se exalam da substância material, no terra-a-terra aderido ao nosso planeta, daí sua ligação aos cemitérios onde se condensam as vibrações desse gênero, como também nos cruzeiros locais.

Contribui, assim, para o desenvolvimento do espírito na sua libertação do corpo carnal. É um Orixá que protege, não tem o caráter vingativo que lhe pretendem atribuir, é uma porta que se abre nos trabalhos para desfazer magias maléficas, porém, exigindo muito conhecimento e segurança dos que trabalham no seu campo vibratório, sem precisar de certas matanças impressionistas, porque já dispõe, no seu próprio campo, dos fluidos cadavéricos necessários à sua atuação.

Esse Orixá é conhecido ainda pelos nomes de XAPANÃ, ATOTÔ OMOLU e BABALU e, é também, sincretizado com São Roque.

O Orixá maior da Umbanda é OXALÁ. O respeito profundo e a forma superlativa do nome Oxalá já ressaltam em si mesmo ser mais que Orixá, pois é o Supremo para o qual convergem todas as linhas, assim perfeitamente identificado na invocação com Jesus Cristo.

Nas contas brancas dedicadas a Oxalá, sobressai o sentido de pureza, sem mácula, nessa cor, que é a síntese de todas as cores irmanadas, ressalta nesse simbolismo convergente a Força Máxima da Umbanda, que constitui a Linha Suprema, na qual se abrigam todas as linhas e falanges, pois o seu poder é bem maior.

Características dos Filhos dos Orixás

CARACTERÍSTICAS DOS FILHOS DE OXALÁ

Mercê da soberania do Orixá maior da Umbanda, os filhos de Oxalá marcam naturalmente suas próprias presenças. Destacam-se com facilidade em qualquer ambiente, são cuidadosos, generosos e, dada sua exigência no sentido de conseguir sempre a perfeição, são também detalhistas ao extremo. Curiosos, procuram saber detalhes, às vezes chegando mesmo a tornar-se aborrecidos por isso.

Pais excelentes, mães amorosas, dedicam-se com um carinho excepcional às crianças, com quem se relacionam muito naturalmente e de quem não gostam de se afastar.

Relacionam-se com facilidade com os filhos dos outros Orixás. Todavia, têm sempre uma certa prevenção com relação às pessoas que não conhecem muito bem. São um tanto inconstantes e se amuam ou zangam com grande facilidade. Impõem sua opinião até os extremos e, não raramente, por causa dessa característica, desentendem-se com filhos de Ogum, Iansã e Xangô, principalmente.

São também pessoas de grande capacidade de mando, tornando-se, não raras vezes, líderes em suas comunidades. Por outro lado, são também ensimesmados, tendo alguma dificuldade em expor problemas ou desabafar com estranhos e, até mesmo, com pessoas íntimas. A velhice tende a torná-los irritados e rabugentos.

Por mais paradoxal que pareça, a vaidade masculina encontra seu ponto mais alto nos filhos de Oxalá, sempre preocupados em ostentar boa aparência e em serem agradáveis.

As filhas são boas mães e esposas, embora, às vezes, mostrem-se dominadoras e ciumentas. Também gostam de apresentar-se bem, mas discretamente.

CARACTERÍSTICAS DOS FILHOS DE IANSÃ

Nascidos da luz da manhã, os filhos de Iansã são a própria majestade do Orixá. Sua principal característica exterior é ser sempre uma entidade dominante. Ocupam, naturalmente, posição de destaque e nunca passam despercebidos. Gostam de vestir-se sempre na moda e de estar sempre atualizados, embora haja uma certa pitada de exagero e brilho em quase tudo o que fazem.

Têm personalidade marcante e dificilmente são esquecidos. São temperamentais por excelência, mudando de opinião com facilidade, amando ou desprezando objetos, pessoas ou coisas, absolutamente sem motivos aparentes. São inconstantes e sentimentais, arrependendo-se com facilidade dos atos praticados, mas também os esquecendo e, não raras vezes, repetindo-os.

Os filhos de Iansã herdam do Orixá suas características guerreiras, empenham-se em discussões estéreis, às vezes só pelo prazer de contestar, não se preocupando absolutamente com os resultados finais. Todavia, em quase tudo que tocam, conseguem levar a bom termo. São também muito dedicados e prestimosos e, além de tudo, alegres.

As filhas de Iansã são sempre extremadas: ou amam apaixonadamente ou simplesmente esquecem. Incapazes de odiar, não hesitam em se reaproximar de alguém que lhes tenha magoado, sentindo, frequentemente, uma real piedade e amor por essa mesma pessoa, se por qualquer razão estiver em posição de dor ou de inferioridade. Não raras vezes, também assumem as causas alheias, trazendo parentes enfermos para dentro de suas próprias casas, brigando com maridos e filhos por causa dessa pessoa. Posteriormente, invertem toda essa situação, mandando embora quem haviam trazido e buscando a paz familiar, como se nada houvesse acontecido.

Fazendo tudo em escala maior, amam com intensidade, dão-se com facilidade, produzem ou promovem e depois, pura e simplesmente, esquecem.

Quer seja homem, quer seja mulher, para os filhos de Iansã será sempre difícil conseguir passar despercebido. Será sempre um temporal em um copo d'água, passando da tranquilidade de um lago sereno à incerteza de um mar tempestuoso. Sua principal qualidade reside em sua capacidade de não apenas perdoar quem eventualmente lhe tenha ofendido, mas principalmente esquecer a ofensa. Talvez nenhum outro consiga realmente esquecer como o filho de Iansã.

Quando se tornam líderes em alguma atividade, quase sempre marcam de maneira indelével suas administrações, mesmo que isso lhes custe sacrifícios.

As filhas de Iansã são extremadas, como as chamadas supermães. Lutam pela felicidade e progresso de seus filhos e não admitem erros ou falhas, embora quase nunca tenham coragem de punir as crianças. Como esposas, são exageradamente ciumentas e, às vezes, chegam a infernizar a vida de seus companheiros por causa disso.

CARACTERÍSTICAS DOS FILHOS DE COSME E DAMIÃO

Alegria, sem sombra de dúvidas, é a principal característica dos filhos de Cosme e Damião. Mesmo em circunstâncias difíceis, parecem sempre irradiar alegria. São simples, generosos, altruístas, embora um tanto inconstantes, sinceros e justos. Têm grande apego à família e aos amigos, não raramente fazendo grandes sacrifícios para beneficiar a outros. Gostam de participar e dividir tudo o que possuem e contentam-se com pouco. Não admitem não serem considerados e se magoam quando acham que não foram tratados com a devida consideração. Embora não guardem rancor, demoram um pouco para esquecer uma ofensa recebida. Exigem um pouco de mimo e de atenção em quase tudo o que fazem. Adoram ver seu trabalho reconhecido e admirado.

Os filhos de Cosme e Damião são bons pais e bons maridos. Amantes do lar, são ainda calmos e tranquilos.

As filhas são excelentes esposas e mães, embora geralmente muito dependentes. Costumam estabelecer laços familiares muito fortes. Não raramente, mesmo com idade avançada, não tomam quase atitude alguma sem consultar seus pais ou outros parentes ascendentes.

CARACTERÍSTICAS DOS FILHOS DE IEMANJÁ

Iemanjá e Oxum se confundem com o Espírito Criador e muitas de suas características também se confundem. Representam a própria instituição da família, seus laços, suas dependências. O filho de Iemanjá é empreendedor, ativo, um pouco sovina, sonha com grandes progressos, embora, às vezes, de forma ingênua, não tenha ideia de proporção, exagerando em suas aspirações. Raramente toma atitudes agressivas, excetuando-se, naturalmente, o plano familiar. De temperamento dócil e sereno, pode também se agitar por qualquer motivo. Dificilmente consegue esquecer uma ofensa recebida e custa muito a voltar a depositar confiança em quem lhe tenha ferido ou magoado.

A mulher que é filha de Iemanjá tem no marido e nos filhos seu principal objetivo. Costuma ser muito exigente com a prole, mas perdoa todas as suas faltas, não raramente escondendo-as para que as crianças não sejam punidas por mestres ou pais. Como uma fera, briga com quem quer que se interponha entre os filhos e o lar. Também costuma ser desconfiada e, não raro, inferniza a vida do companheiro com ciúme doentio.

Se necessário, alia-se ao marido para fazer frente às dificuldades da vida, dando tudo de si. Nunca deixa de fazer o que lhe pedem, embora tenha grande tendência a reclamar de tudo. É empreendedora e ativa, vaidosa e coquete, gosta de adornos discretos e caros. Exige muitas atenções e, geralmente, embora realize com perfeição os deveres domésticos, parece não sentir grande atração pela cozinha, a não ser no que diz respeito aos filhos.

Os filhos de Iemanjá parecem estar sempre em luta por um lugar de destaque, qualquer que seja o empreendimento a que se dedique. São, por sua própria natureza, lutadores. Profundamente emotivos, são também chamados de chorões.

CARACTERÍSTICAS DOS FILHOS DE OXUM

Grande parte do que foi dito sobre Iemanjá também poderia ser estendido a Oxum, pois o relacionamento com os filhos é equivalente por representarem, ambos, o princípio criador. Também é aplicado a estes, ainda mais emotivos que os de Iemanjá, a denominação de chorões. A sensibilidade dos filhos de Oxum é ainda maior e, não raras vezes, chamamos, principalmente as mulheres, de dengosas e de flores de estufa, que fenecem ao menor motivo.

Essencialmente honestos e dedicados, esperam merecer as atenções que procuram despertar e sentem-se desprestigiados quando tal não acontece.

Um fato a ser considerado é o de que os filhos de Oxum tendem a guardar por mais tempo alguma coisa que lhes tenham atingido e olham com muita desconfiança quem os traiu uma vez. Por outro lado, são menos vaidosos que os filhos de Iemanjá ou Iansã, embora aparentem, mesmo em roupas discretas, uma certa realeza. Ternos e muito carinhosos, são consequentes e seguros e buscam sempre a companhia de pessoas de caráter. Preferem não impor a sua opinião, mas detestam ser contrariados. Custam muito a se irritar, mas quando o fazem, demoram a serenar.

Oxum parece ocupar, no coração das pessoas, o espaço destinado à figura da mãe e esta característica faz com que seus filhos sejam naturalmente bem quistos e, não raras vezes, invejados.

O homem e a mulher filhos de Oxum são, a exemplo de Iemanjá, muito ligados ao lar e à família em geral.

CARACTERÍSTICAS DOS FILHOS DE OXÓSSI

Oxóssi representa a pureza das matas. Seus filhos são honestos, desinteressados, altruístas e espontâneos.

Sua principal característica é a honestidade: nunca esperam recompensa daquilo que fazem espontaneamente.

Os filhos de Oxóssi têm um grande inconveniente: são inconstantes, não-persistentes, seja qual for o motivo. Com muita frequência, após lutarem por um ideal, às vezes, às vésperas de consegui-lo, desistem para uma nova ideia. Geralmente, reúnem qualidades que são muito importantes. Se alguém está doente, eles são aqueles que visitam várias vezes a pessoa para ver como está passando, interessam-se pelo bem-estar dos outros, sempre com muita atenção.

Dão-se muito bem com pessoas de qualquer faixa de idade. Sentem-se mais à vontade em ambientes mais descontraídos, não gostam de andar muito presos em roupas sociais, não se sentem bem em cerimônias muito formais.

São dados a uma vida muito singela; não são afeitos a luxo e têm verdadeira repulsão a tudo o que chama atenção. Adoram andar, gostam do ar livre, não gostam de ficar em ambientes fechados ou escuros. São muito complacentes com a aquisição de bens materiais, sendo muito desligados de tudo aquilo que se refira à pompa.

O filho de Oxóssi costuma mudar de atividade com relativa facilidade, mas há possibilidade de lançar raízes em algum campo de negócio. São tão profundos e seguros, que jamais mudam.

O chefe de família filho de Oxóssi é um tanto desligado do lar; não que ele não se interesse pelos problemas familiares, mas prefere ser servido do que servir.

A mulher filha de Oxóssi tende a não ser muito boa dona de casa. Gosta das coisas bem feitas, mas não de fazer; gosta das coisas em ordem, mas prefere mandar que outros façam.

CARACTERÍSTICAS DOS FILHOS DE OGUM

Os filhos de Ogum são tidos como brigões, mas é errôneo este pensamento. Os filhos de Ogum são mais intransigentes e obstinados do que propriamente brigões.

Ogum representa o espírito da lei e seus filhos têm esta característica bem predominante. Raramente o filho de Ogum pondera as coisas; o regulamento é este, então tem de ser seguido a qualquer custo.

Toda lei tem de ser estudada para se obter seu verdadeiro sentido, para se conhecer seu espírito. Porém, para o filho de Ogum, essa mesma lei é usada com parcimônia. Segue a lei sem se importar se ela serve para este ou aquele caso. É lei, tem de ser cumprida implacavelmente.

O pai de família que é filho de Ogum não dá muitas chances de diálogo para seus filhos, é inflexível e radical. Usa uma lei para si e outra para os demais.

É vaidoso e não gosta de ser contrariado em suas opiniões. Raramente arreda pé da sua posição, mesmo quando não está certo. Quer sempre fazer prevalecer o seu ponto de vista, nunca recua em suas decisões. Tem sempre tendência a resolver as coisas para seu lado, de qualquer forma.

A mulher filha de Ogum é mais querelante do que briguenta. É mais belicosa e de atitudes mais extremadas. É excelente mãe de família, porém, coitado do filho que não andar direito: ela é do tipo que bate primeiro para depois perguntar qual foi o erro.

O filho de Ogum é dado a fazer conquistas, tem facilidade no relacionamento com o sexo oposto de qualquer filiação de Orixá.

CARACTERÍSTICAS DOS FILHOS DE XANGÔ

O filho de Xangô é, por excelência, calmo e muito ponderado. Costuma pesar os fatos com muito cuidado, procurando sempre pôr panos quentes em qualquer disputa. Só toma decisões depois de pesar e analisar todos os ângulos dos problemas apresentados, procurando ser o mais justo possível.

Dedica-se de corpo e alma a tudo que se propõe a fazer, mas desilude-se com muita facilidade também. É sonhador no mais alto grau e acha sempre que tudo dará certo, deixando-se levar com muita frequência pela ilusão e pelo sonho. Sempre procura apresentar seus propósitos e planos de maneira mais bonita, mais enfeitada, mais clara possível, sem observar o que há de viável neles. Nunca procura ver a fundo se há realismo no que se propõe a fazer.

Os filhos de Xangô geralmente são capazes de grandes sacrifícios, mas aborrecem-se profundamente se algo que programaram não dá certo. Não admitem mudanças de programação, mesmo quando não depende deles a realização do que foi planejado. Costumam remoer por um longo período o que lhes acontece ou o que não se realizou como eles queriam. Separam, com muita frequência, a realidade de si, levando seus pensamentos para altas esferas.

Por serem muito honestos, magoam-se com muita facilidade com a ingratidão das pessoas, achando que todos têm obrigação de serem honestos e precisos em suas decisões.

A filha de Xangô geralmente é muito crédula, acredita em tudo o que lhe dizem. Magoa-se profundamente por coisas que não tenha feito e que tenham dito que ela fez. Guarda mágoas profundas, mas não consegue guardar raiva.

Em relação ao lar, não gosta de sair, prefere o aconchego da casa. É excelente mãe de família, mantendo o lar em perfeita harmonia, não permitindo desavenças entre os familiares e dando possibilidades a todos de se defenderem sempre que necessário.

CARACTERÍSTICAS DOS FILHOS DE NANÃ BURUQUÊ

Nanã é a mais velha das Orixás. Talvez por isso seja a mais amorosa e também a mais egoísta. Os filhos de Nanã são muito possessivos e tendem a cercar seus amigos.

São exclusivistas e não admitem dividir suas ideias. Dedicam-se, sem reservas, a seus amigos e parentes, porém procuram sempre criar barreiras para que eles encontrem novas amizades e novos caminhos.

São rabugentos e costumam guardar no seu íntimo tudo aquilo que lhe fazem. O filho de Nanã jamais esquece, mesmo que depois lhe peçam desculpas. Eles sempre comentam e tocam no assunto quando há oportunidade.

Gostam de estar rodeados de amigos, porém não abrem mão de sua presença, fazendo questão de que seja notada e comentada.

Vestem-se muito bem e possuem um pouco a intransigência de Ogum. São resmungões e acham dificuldade em tudo que precisam fazer, esperando sempre que os outros façam ou resolvam seus problemas.

Por serem demasiadamente possessivos, não admitem que seus filhos e familiares mais próximos tomem decisões sozinhos ou que seus companheiros saiam sós.

CARACTERÍSTICAS DOS FILHOS DE OBALUAIÊ

Os filhos de Obaluaiê são muito controvertidos. Seu caráter, às vezes, é taciturno, calado, fechado em si próprio. Às vezes têm picos de alegria, descontração e satisfação, indo de um polo a outro com facilidade e com muita frequência. Gostam de Ocultismo, têm certa tendência para tudo o que é misterioso. Frequentemente estudam Astrologia.* Gostam das artes e das pesquisas, dedicando-se muito a isso.

Convivem melhor com pessoas idosas do que com as mais jovens. Não têm a paciência necessária para suportar arroubos da mocidade, até mesmo com relação a seus filhos. Os filhos de Obaluaiê mais jovens sempre procuram pessoas mais idosas para conviver.

Não gostam de aglomerações, preferem o isolamento, dedicando seu tempo em coisas que consideram de maior utilidade. Raramente se abrem a respeito de seus problemas, preferem "curtir" a mágoa ou a dor sem participação de ninguém.

São muito sentimentais e, frequentemente, são profundamente negativistas.

---

*N.E.: Sugerimos a leitura de *Curso de Astrologia*, de Christina Bastos Tigre, Madras Editora.

NOTA EXPLICATIVA

Os filhos de fé não recebem influências de apenas um ou dois Orixás. Da mesma forma que nós não ficamos presos à educação e à orientação de um pai ou mãe espiritual, também não ficamos sob a tutela de nosso Orixá de frente ou juntó.

Frequentemente recebemos influências de outros Orixás, como se fossem professores, avós, tios, amigos mais próximos da nossa vida material. O fato de recebermos essas influências não quer dizer que somos filhos ou afilhados desses Orixás; trata-se apenas de uma afinidade espiritual.

Uma pessoa, às vezes, não se dá melhor com uma tia do que com uma mãe? Assim também é com os Orixás. Podemos ser filhos de Oxóssi ou Iansã e receber mais influência de Ogum ou Oxum.

Posso ser filho de Obaluaiê e não gostar de trabalhar com entidades que mais lhe dizem respeito, preferindo trabalhar com entidades de cachoeiras, o que, de forma alguma, me faz ser adotado por esses outros.

O importante é que, nos momentos mais decisivos de nossas vidas, suas influências benéficas se façam presentes, quase sempre uma soma de valores e não apenas, e individualmente, a característica de um único Orixá.

As Entidades na Umbanda

Em termos de entidades espirituais, a Umbanda se sustenta em três pilares: os Pretos-Velhos, os Caboclos e as Crianças.
Os Pretos-Velhos são, geralmente, espíritos de negros que viveram como escravos no Brasil. Essas entidades caracterizam-se pela humildade, pelo seu modo paternalista com que tratam os consulentes, transmitindo calma e carinho. Gostam muito de conversar e esclarecer as dúvidas dos filhos de fé. Costumam fazer as suas "mirongas" (trabalhos magísticos) para ajudar os necessitados de uma cura ou aqueles que precisam de um emprego. Durante as consultas costumam fumar cachimbo, utilizando a sua fumaça para a limpeza de vibrações negativas. Costuma-se oferecer aos Pretos-Velhos café e vinho tinto.
Os Caboclos são espíritos de índios ou mestiços. Essas entidades caracterizam-se pelo seu altruísmo e decisão. Em geral, dominam a arte das ervas, receitando banhos e defumações para a limpeza de seus filhos de fé e de suas casas. Utilizam, quando incorporados, os charutos que possuem função semelhante a dos cachimbos dos Pretos-Velhos. Costuma-se oferecer aos Caboclos cerveja branca. Essas entidades gostam de trabalhar nas matas, junto à Natureza que é o seu *habitat* natural.
As Crianças são espíritos puros e irreverentes que se manifestam na Linha de Cosme e Damião transmitindo alegria aos presentes. Conservam muitas características da Terra e quando se manifestam, gostam de ser recebidos com doces, refrigerantes e brinquedos.
Além dessas três entidades que constituem o sustentáculo da Umbanda, apresentam-se ainda os Baianos, os Boiadeiros, os Marinheiros, os Oguns, os Exus e, mais recentemente, os Ciganos.
Os Baianos são entidades em evolução e que prestam uma ajuda importante aos terreiros e aos seus frequentadores. Essas entidades são bastante

decididas e alegres e costumam resolver com presteza os casos de rusgas, problemas entre casais, etc. Amenizam as suas dívidas, auxiliando os filhos de fé necessitados em uma área de ação bem definida.

Juntamente com os Baianos podem se manifestar os Boiadeiros que têm um modo de trabalhar muito peculiar, manejando o laço e chamando o gado, o que eles faziam com grande destreza na Terra.

Os Marinheiros que em terra ou no mar sempre se caracterizaram por gostar de bebidas alcoólicas, mostram-se cambaleantes. São também muito alegres e, em alguns terreiros, praticam curas espirituais. Geralmente, quando se chamam os Marinheiros, chamam-se também as entidades do Povo da Água (Sereias, Ninfas, Yaras, etc.). Essas entidades não falam e apenas emitem sons suaves e melodiosos.

Os Caboclos de Ogum são espíritos guerreiros que se manifestam na Linha de Ogum. Atuam na defesa dos filhos de fé, quebrando demandas e vínculos de trabalhos de magia negra. São os espíritos que ajudam a preservar a lei espiritual.

Os Ciganos manifestam-se para resolver problemas sentimentais e financeiros, utilizando-se da magia dos cristais, baralhos, moedas, etc.

Além dessas entidades, manifestam-se também nos terreiros, Guias Orientais que geralmente comandam os trabalhos de cura. A falange do Oriente tem como patrono São João Batista.

Como vimos no capítulo "Os Orixás e as Sete Linhas da Umbanda", os Orixás constituem as chamadas Sete Linhas da Umbanda. As entidades espirituais agrupam-se em falanges ou correntes. Por exemplo, a falange de Ogum Beira-Mar, a falange de Pena Branca, a falange de Pai Benedito, etc.

Muitas vezes observamos que vários médiuns incorporam entidades com o mesmo nome. Isso ocorre porque muitas delas costumam adotar o nome do chefe da falange. Por exemplo, as várias entidades que se apresentam com o nome de Caboclo Pena Branca, na realidade, não têm esse nome e utilizam o nome do chefe da falange, que é o Caboclo Pena Branca.

Sobre os Exus falaremos no capítulo "Magia Negra e os Exus na Umbanda".

Saudações aos Orixás e às Entidades

- **Oxalá**: " Epê, Epê, Babá".
- **Iansã**: "Eparrei Iansã".
- **Cosme e Damião**: Não tem forma definida de saudação, embora seja costumeiro ligar as figuras de Iemanjá ou de Oxum à de Cosme e Damião, ocasião em que são saudados assim: "Aiê Ieu Ibeijada", "O-miô Ibeijada","Ibeijada", "Iaô Ibeji" e "Iaô Ibeijada".
- **Oxum**: "Aiê Ieu Mamãe Oxum".
- **Iemanjá**: "O do Feaba" ou "O do Iá" ou "Ofe-Iabá" ou "O Miô". Hoje, a saudação mais comum é "O do Iá Iemanjá".
- **Oxóssi**: "Okê Bambe Oclim" ou "Okê Caboclo".
- **Ogum**: "Ogum Iê" ou "Ogunhê".
- **Xangô**: "Kaô Kabecilê" ou "Kaô Kabe En Cilobá".
- **Nanã Buruquê**: "Salubá Nanã" ou "Salubá Nanã Buruquê".
- **Obaluaiê**: "Atotô Obaluaiê".
- **Pretos-Velhos**: "Adorei as Almas" ou "Salve as Almas".
- **Caboclos**: Usa-se a mesma saudação de Oxóssi.
- **Crianças**: Usa-se a mesma saudação de Cosme e Damião.

- **Baianos**: "É da Bahia Meu Pai".
- **Caboclos de Ogum**: Usa-se a mesma saudação de Ogum.
- **Marinheiros**: Usa-se a mesma saudação de Iemanjá.

ALGUNS ASPECTOS DA MEDIUNIDADE

Nenhum estudo sobre mediunidade pode ser feito sem uma consulta ao *Livro dos Médiuns* de Allan Kardec. Esse livro contém todos os ensinamentos dos espíritos sobre as manifestações espíritas, os meios de comunicação com o mundo invisível, o desenvolvimento da mediunidade, etc.

Neste capítulo, teremos uma abordagem da mediunidade em geral e das particularidades, no tocante à Umbanda.

RESSURREIÇÃO... REENCARNAÇÃO!

Em que acredita o espiritualista?

A pedra angular da Umbanda e de todo Espiritismo ou Espiritualismo é aquela que diz que sempre existirá uma vida após outra, ou melhor, quando nos separamos de nosso corpo físico, pela passagem (morte) para o plano espiritual, apenas o nosso corpo físico se desfaz. Nossa alma liberta-se de seu invólucro e prossegue sua existência. A isso se sucede uma nova existência, um novo nascimento. Nesta ou em outras formas de vida, neste ou em outro planeta, um novo período de amadurecimento, outra vez a senilidade e finalmente a morte liberando o espírito, até que este possa perder totalmente a sua individualidade para fazer parte do conhecimento total da essência da verdade, que é Deus. Difere então totalmente da crença católica em que, após a morte física, o destino da alma é a total bem-aventurança, um período intermediário no qual o espírito é punido por pequenos erros e, finalmente, uma eternidade de provações e de castigos aplicável àqueles espíritos considerados inferiores e semeadores do mal. Em outras palavras, o Céu, o Purgatório e o Inferno. Ali, os espíritos aguardarão a ressurreição, isto é, creem os católicos que um dia ressurgirão com os mesmos aspectos físicos de antes da morte, no dia do Juízo Final. Seria mais ou menos como retornar ao antigo corpo, que voltaria a ter o mesmo aspecto de antes da morte.

Reencarnação, ao contrário, é o renascimento dessa mesma alma em outro corpo preparado ou concebido para esse fim. Em outras palavras, a morte é uma renovação. É preciso que se morra para que se possa renascer.

Pelo exposto, vemos que entre uma encarnação e outra, o espírito que em tempo algum deixou de existir pode, de alguma forma, se comunicar com os encarnados e por intermédio de alguns destes, até mesmo servir-se de seus corpos físicos nessas comunicações. A estes últimos, damos o nome de médiuns.

ENTÃO, O QUE É MEDIUNIDADE?

Mediunidade é a faculdade que determinados indivíduos possuem de poder captar vibrações espirituais, ou mais diretamente, no que se relaciona à Umbanda: *é a faculdade que determinadas pessoas têm de poder, até mesmo, emprestar seu corpo físico a um espírito desencarnado.*

São várias as formas de mediunidade. No decorrer deste capítulo, abordaremos as principais, mas antes seria interessante esclarecer um problema com que se defronta a quase totalidade dos neófitos na Umbanda. Muitas vezes, o médium tem pleno conhecimento do que ocorre enquanto incorporado, chegando mesmo, em alguns casos, a criar uma dúvida angustiosa, gerando perguntas tais como: "como posso ser médium se eu sei tudo o que a entidade diz ou faz?" Ou ainda: "foi a entidade ou fui eu quem disse ou fez algo quando incorporado? Será que estou mistificando?"

Isso acontece principalmente porque se criou, dentro das diferentes doutrinas espíritas e espiritualistas, um verdadeiro tabu, o de que só é médium (como o próprio nome diz, o meio de que se servem os espíritos para as suas comunicações) aquele que não tem consciência do que ocorre durante a incorporação. Isso não se resume apenas entre os neófitos, pois Átila Nunes, em seu livro *Antologia da Umbanda*, pergunta: "Haverá médiuns inconscientes?" O não menos famoso W.W. da Matta e Silva, em seu livro *Umbanda do Brasil*, afirma só ser médium aquele que for inconsciente. Onde está a verdade?

Via de regra, todo médium, ou melhor, quase todo médium, passa por diferentes estágios durante seu desenvolvimento mediúnico. Geralmente, as primeiras manifestações ocorrem em estado de inconsciência. Depois, quando se inicia o desenvolvimento, o médium passa por um período de quase total consciência e, posteriormente, à medida que as entidades se adaptam, o constante exercício da incorporação torna-o melhor ajustado às suas funções. O médium passa primeiro por um estágio de semiconsciência, isto é, ele recorda-se de alguns fatos, mas geralmente não consegue lembrar-se de detalhes. É como se tudo tivesse ocorrido como em um sonho, como se visse através de uma névoa ou mesmo depois de ter abusado do álcool. Depois, então, torna-se totalmente inconsciente, embora conheçamos muitos médiuns que sempre foram totalmente inconscientes, e também vários, não menos eficientes, que nunca conheceram a inconsciência em sua plenitude.

Para uma melhor compreensão, vamos ilustrar da seguinte maneira: façamos de conta que o médium é um automóvel e o seu espírito o motorista que o conduz. Imaginemos agora, um outro espírito, em nossa história, que não tem mais o seu automóvel (corpo físico) e pede ao primeiro para usar o seu, mas com a condição de que o primeiro também participe do passeio ou viagem. Emprestando seu carro ao outro, senta-se no local destinado ao passageiro. Como ele não sabe de que forma o outro dirige, viajará apreensivo durante algum tempo até se certificar da habilidade do outro motorista, pois cada erro notado será um arranhão em seu patrimônio. Se ele avança o sinal, será o primeiro quem levará a multa ou se arriscará a sofrer danos em seu veículo. Todavia, se após algum tempo de viagem, o passageiro constata que o motorista é cuidadoso, que não comete imprudências e zela pelo seu veículo, poderá se distrair observando a paisagem. E ao final da viagem, embora naturalmente acabem chegando juntos, por se distrair, não saberá dizer com certeza todos os detalhes do caminho e, quando mais tarde, participarem juntos de outros passeios mais longos, fatalmente acabará por se abandonar no banco do carro, adormecendo. Naturalmente, no final dessa viagem, não terá mais recordação alguma do que aconteceu enquanto dormia, embora não houvesse, em tempo algum, se ausentado do veículo.

O primeiro caso mencionado é o do médium consciente, que no início do desenvolvimento não consegue se entregar por inteiro à entidade, trabalhando na maior parte do tempo, irradiado, sem total e completa incorporação. O segundo caso, aplica-se ao médium depois de alguns anos de trabalhos mediúnicos, quando, mesmo tendo sido considerado médium consciente, lembra-se apenas de parte dos fatos ocorridos durante o transe mediúnico, não conseguindo fixar-se nos detalhes.

E finalmente, o terceiro dos casos citados é o do médium inconsciente, que atingindo uma total identificação vibratória com a entidade pode abandonar-se, permitindo, então, o mais absoluto controle de seu corpo e de sua mente pela entidade incorporada, resultando disso, a recordação de absolutamente nada do que lhe aconteceu durante a incorporação.

AS DIFERENTES FORMAS DE MEDIUNIDADE

- **Auditiva**

Forma de mediunidade que permite ao médium ouvir o que dizem os espíritos, sem que os circunstantes também ouçam. É uma forma de comunicação que chega em forma de mensagem oral, embora seja apenas sentida e não realmente registrada pela audição.

- **Desdobramento**

Forma de mediunidade que permite ao médium afastar-se de seu corpo físico, deslocar-se no tempo e no espaço, a ele retornando posteriormente e sem que este sofra algum dano durante essa ausência. Geralmente, o médium guarda lembranças destes acontecimentos e, evidentemente, durante o desdobramento o corpo físico permanece sempre em total repouso.

- **Efeito físico**

É a forma de mediunidade pela qual a simples presença do médium resulta em fenômenos que atingem objetos ou que provocam efeitos sonoros, odoríferos, etc.

- **Vidência**

Faculdade que determinados médiuns possuem, que lhes permite, sob determinadas condições, ver as entidades espirituais que já tiveram uma existência física entre nós.

- **Transporte**

Forma de mediunidade que permite a um determinado médium incorporar uma entidade espiritual que habitualmente não se serve de seu corpo físico. É utilizada principalmente nos trabalhos de desobsessão quando o médium experiente, que já tenha plenamente desenvolvido seus dotes mediúnicos, tenta conseguir que o espírito obsessor passe para seu corpo físico, a fim de mais facilmente ser doutrinado.

- **Psicografia**

Faculdade mediúnica que permite ao médium receber e grafar mensagens espirituais de forma mecânica, isto é, na quase totalidade das vezes, o médium escreve sem saber o que está escrevendo, como se o espírito se utilizasse somente de seu cérebro e de seu braço.

- **Intuitiva**

Faculdade que determinado médium tem de sentir a presença de entidades e, às vezes, de realizar aquilo que ele (médium) tem certeza de que constitui a vontade da entidade. Quando relativa a fatos em via de acontecer ou acontecidos e dos quais o médium tem a intuição, são chamados de **premonição.** Há, ainda, médiuns que não conseguem uma perfeita incorporação, e que trabalham sob a irradiação ou intuição que lhes é enviada pela entidade.

- **Incorporação**

Faculdade mediúnica que permite ao médium ceder ou emprestar seu corpo físico a um espírito para que este possa, por meio daquele, manifestar-se, comunicar-se pelo transe mediúnico. É a posse do corpo físico do médium por um espírito que já não o tem mais para se revelar. É de todas as formas de mediunidade a mais utilizada nos terreiros de Umbanda.

- **Clarividência**

Este tipo de mediunidade permite ao médium ver fatos passados ou futuros, segundo formas diferentes, a saber: intuitiva, lendo em superfícies polidas (espelhos, bolas de cristal, copos d'água, etc.); interpretando sinais, búzios, deloguns e outras formas menos usuais na Umbanda, como cartomancia, etc.

De todas as formas mencionadas de mediunidade, é a que merece menos crédito, pois um número enorme de fraudes faz com que seja cada vez mais desacreditada. A exploração da boa fé pública, por meio dessas diferentes formas de clarividência, infelizmente é tal que chega a prejudicar o bom nome da Umbanda, quando poderiam e são, nas mãos de médiuns honestos, excelentes formas auxiliares de diagnósticos.

Como já pudemos citar anteriormente, a incorporação é a forma de mediunidade mais utilizada na Umbanda. Baseando-se em razões filosóficas dos hindus, alguns autores defendem a tese de que a incorporação se processa pelos diferentes chacras* (centros de força), distribuídos pelo corpo do médium, chegando mesmo a relacionar uma direção seguida pelo espírito, a saber: **chacra coronário** (centro da consciência). Em seguida, o **chacra frontal**, passando dali para os demais.

Todavia, é ainda baseado em fatos, principalmente nas descrições de pessoas que foram consideradas clinicamente mortas e trazidas de volta à vida, que sabemos que independentemente do nome que dermos aos detalhes da incorporação, ela ainda se processa pela tomada do corpo pelo espírito, iniciando pela cabeça e terminando nos pés.

Em entrevista que fizemos com o sr. Álvaro Gouveia (transmitida pela TV Bandeirantes – São Paulo, durante o programa da Xênia), perguntamos:

"– Quando o senhor se deu conta de que já não estava mais morto?"

E ele respondeu:

"– Quando senti que toquei... que bati na sola dos pés".

Segundo ainda não só essa fonte de informação, mas mais de 40 casos catalogados, no instante que precede o ato da incorporação, o espírito parece flutuar no espaço e depois desliza lentamente, até que atinja o corpo na altura da cabeça, descendo posteriormente até á tomada total do corpo, quando, então, toca o fundo dos pés (sola) do incorporado.

---

* N.E.: Sugerimos a leitura de Os Chacras – Centros Energéticos, de José Ebram, Madras Editora.

Já está provado também, que nem todos os médiuns de incorporação reagem exatamente da mesma forma. Quando do ato da incorporação, parece haver alterações proporcionais, quer com a experiência do médium (o médium que exercita suas faculdades mediúnicas sempre encontra mais facilidade), quer com relação às limitações do médium incorporante em relação à entidade.

Não devemos estranhar também se o espírito de um homem velho incorpora-se em uma jovem e dá a ela a postura característica de um velho alquebrado. Afinal "a morte não retoca ninguém", mas age como um instrumento fotográfico, em que o espírito sempre volta com o conhecimento de sua última existência física (André Luiz em seu livro *Nosso Lar* nos mostra que a lembrança de encarnações anteriores somente ocorre vários anos após o desencarne). Se a voz desse velho tem algo a ver com a dessa jovem, está plenamente justificado, pois é por meio de seu aparelho fonador que o velho se exprime e, embora o som lembre o elemento jovem incorporado, as formas de falar e a entonação serão sempre características do velho incorporante.

O espírito precisa se adaptar ao corpo em que incorpora, respeitando, entretanto, suas limitações.

Mediunidade:
Prêmio ou Castigo?

Esmeralda Salvestro Perusso

Como nós, várias pessoas vão à procura de um centro kardecista ou de um terreiro de Umbanda em busca de alívio para seus males materiais ou espirituais. Via de regra, ouvirão as seguintes palavras de uma entidade incorporada: "Filha(o), você tem mediunidade, precisa trabalhar espiritualmente!" Porém se perguntarão: "Como fazer tal coisa?" Nesse momento, então, dirigimo-nos ao diretor(a) espiritual e procuramos saber o significado dessa frase da entidade. Depois das explicações dadas e tudo acertado, começamos nosso desenvolvimento espiritual.

Algumas pessoas consideram-se premiadas com o fato. Outras já pensam que é um fardo pesado a ser carregado. O que é, na realidade, este dom que nos foi concedido? Vamos analisar da seguinte maneira: não é um prêmio nem um fardo. É um resgate da dívida que temos para com os nossos semelhantes, adquirida em encarnações passadas. A mediunidade é o compromisso de resgatá-la e esse compromisso foi assumido com nosso consentimento, antes de nascermos. Podemos ou não contraí-la depois de encarnados, pois para isso é que temos o livre-arbítrio.

Podemos situar a posição da seguinte maneira: vamos a uma loja onde adquirimos uma determinada mercadoria. Tratamos com o gerente a forma de pagamento, digamos, dez meses. Pagamos a primeira mensalidade, a segunda e, daí em diante, resolvemos não pagar mais. O que acontece? Os juros vão sendo acumulados, a mercadoria nos é retirada, ficamos com nosso nome na lista negra, sem contar que corre uma ação de cobrança contra nós.

Se quisermos comprar essa mercadoria em outra loja, vamos ter que pagar à loja anterior antes de comprar na atual e, dessa forma, o que poderia ter sido pago em dez meses facilmente, passa a custar muito mais, pois temos de pagar a dívida anterior acrescida de juros, e pagar novamente a essa outra loja a mercadoria que nós perdemos por termos sido levianos nas nossas responsabilidades. Assim sendo, é melhor procurar pagar à primeira loja, pois dessa forma teremos a mercadoria, poderemos usufruir dela e, se precisarmos de qualquer outra coisa, teremos crédito, com toda a certeza.

Mas, digamos que por qualquer motivo alheio à nossa vontade não possamos pagar essa dívida. Nada impede que procuremos o gerente e façamos um acordo com ele, pagando mais juros, estendendo as prestações e assim por diante. Como proceder?

Procure praticar a caridade de outra forma. Não é só vestindo uma roupa branca que nós podemos praticá-la e sermos úteis ao próximo. Quantos órfãos precisam de um carinho, quantas pessoas idosas suplicam uma palavra de afeto, quantos doentes abandonados em hospitais precisam de ajuda? Quantas pessoas necessitam de um conselho, de um bom amigo, de compreensão? E vão por aí afora as formas de se fazer caridade.

É preferível você usar a boa vontade para com o próximo que dela necessitar, do que vestir uma roupa branca e rumar à casa de caridade em que você trabalha, resmungando, blasfemando por ser obrigado a deixar o conforto de seu lar para ir ao trabalho espiritual ao qual você foi solicitado. Mas, veja bem, se o seu impedimento de ir ao trabalho espiritual é uma forma disfarçada de você fugir da responsabilidade, a dívida ficará onerosa, e como vamos ficar depois? Teremos condições de pagar as contas atrasadas? Tudo isso deve ser bem analisado antes de se tomar qualquer atitude.

É evidente que nossas entidades espirituais não nos abandonarão e não nos prejudicarão se não trabalharmos espiritualmente por motivos materiais necessários como, por exemplo, um pai de família que trabalhe justamente no período em que o terreiro faz suas sessões; uma jovem que more distante e que não possa voltar sozinha para casa; uma senhora cujos filhos, pequenos, dependam de sua assistência, etc. Nessas situações, o certo é procurar o chefe do terreiro e expor sua situação, pedindo licença para consultar a entidade que comanda os trabalhos para que ela dê uma orientação segura ao filho que precisa de ajuda.

Não peça à entidade que lhe "feche o corpo" para não mais recebê-la. A mediunidade nos foi dada pelo PAI MAIOR e ninguém a retirará, a não ser Ele. Só será afastada em caso de doença muito grave e terminará quando a matéria se extinguir.

Quando o médium inicia sua caminhada espiritual dentro de um terreiro, deve auxiliar nos afazeres dos trabalhos, fornecendo charutos, água, pemba, velas, etc. às entidades espirituais incorporadas, quando a pedido dos cambonos.

Quando houver giras de desenvolvimento, um médium incorporado procurará auxiliar o iniciante a dar condições para que a entidade que está a seu lado faça a incorporação. Às vezes, o médium é como uma fruta madura, pois ao primeiro toque de vibração espiritual sua entidade já consegue incorporar. Outras vezes, ainda permanecerá um bom tempo na gira de desenvolvimento, pois seu grau de mediunidade ainda está verde e precisa amadurecer. Mas tanto um como outro estão se encontrando pela primeira vez na lida espiritual e ainda deverá decorrer um certo tempo para que comecem a trabalhar efetivamente nos atendimentos mediúnicos. Explica-se o motivo: como em qualquer ramo, o principiante necessita de segurança e firmeza e, por falta destas, muitos adeptos abandonam o desenvolvimento.

Às vezes, por falta de conhecimento do chefe do terreiro, médiuns que ainda precisam de firmeza são solicitados a incorporar. Por falta de confiança, eles vacilam e no momento em que são mais necessários, eles falham. Esses médiuns, desiludidos, procuram outras casas onde encontrarão o mesmo tipo de problema, já que eles não adquiriram ainda a confiança necessária em suas entidades e, às vezes, podem permitir que espíritos zombeteiros possam tomar o lugar delas. Aí, então, a desilusão é maior. Devemos dar chance a todos aqueles que nos procuram e, nessa oportunidade, temos o dever de orientar espiritualmente aqueles que principiam a caminhar no difícil trajeto da mediunidade.

Quando somos convidados a usar uma roupa branca que nos distingue como médiuns, nada há de mais errado do que nos sentirmos meio santos. A roupa branca nos distingue dos outros por um fator muito importante e que, geralmente, relegamos e nem nos preocupamos com ele. É que, com a roupa branca, devemos adquirir compreensão de que, a cada dia, devemos tornar-nos melhores cidadãos e mais conscientes de nossas responsabilidades perante a lei de nosso Pai Oxalá. Devemos compreender que o nosso exemplo servirá a outros de nossos irmãos de fé. O uso da roupa branca deve induzir-nos a sermos mais humildes, mais condescendentes com as falhas humanas, mais caritativos, tendo em mente a frase: *Faço o bem, sem olhar a quem!*

Devemos reformular-nos perante a sociedade, a família e nós mesmos, pois, com grande frequência, cometemos faltas e falhas que poderiam ser evitadas, mas não o fazemos e nos desculpamos a nós mesmos, dizendo: também sou humano. Devemos aprender a perdoar nossos amigos e inimigos, mas perdoar mesmo e não apenas dizer que perdoamos, acrescentando que a mágoa continua, porque se ela não cessa o perdão não foi dado.

Devemos honrar nossa roupa branca, lembrando a censura de Cristo aos escribas e fariseus, quando disse que eles eram semelhantes aos túmulos caiados de branco, que por fora parecem formosos, mas interiormente estão cheios de imundície. Sejamos puros e formosos, por dentro e por fora. É o mínimo que podemos fazer em prol da nossa Sagrada Umbanda, a nós mesmos e pela nossa evolução espiritual.

Ascensão e Queda
de um Médium

    Dizem que os fatos na história estão sempre se repetindo. Também na Umbanda observamos fatos, como a história de Pai "X" que, segundo contam, em sua juventude era dotado de privilegiada inspiração cósmica. Apesar de pouca instrução, possuía grande imaginação, falava como filósofo, podendo até prever acontecimentos futuros. Tinha grande respeito às religiões e bastante inclinação para estudos místicos e religiosos.

    Filiou-se a algumas escolas iniciáticas e frequentou várias religiões. Cursou algumas escolas de origem oriental, onde adquiriu algumas noções de misticismo. Ingressou no Espiritismo e, por algum tempo, estudou com entusiasmo as instruções kardecistas. Mais tarde, ingressou na Umbanda, na qual dizia ter se encontrado pela ritualística, pela magia e pelo encantamento. Revelou-se bom médium, realizando, inclusive, curas com sucesso.

    Mais tarde, graduado como Sacerdote de Umbanda, abriu um templo e teve seus próprios discípulos. Ensinou de início algo que, admitia, não ser dele. Tornou-se conhecido e passou a gostar da notoriedade e popularidade. Posteriormente, passou a declarar que os ensinamentos eram seus, assim como todas as coisas que fazia e dizia. Pensava com exclusivismo, considerava-se autônomo e único orientador espiritual capacitado, esquecendo-se das leis do ser, que exprimem o pensamento de Deus (Oxalá) e dos Orixás. Violou a lei do amor fraterno, invertendo a direção da verdadeira lei da espiritualidade na ilusão de crescer e subir. Muitos manuscritos de natureza altamente espiritual afirmam que não há pecado maior da matéria (carne) que a vaidade.

    Com esta atitude, Pai "X" foi decaindo também na saúde, um exemplo típico de alguém que foi rejeitado pelo cósmico em virtude da violação das leis do Universo. Na ilusão de crescer e subir, ficou aprisionado em seu próprio desespero. Tornou-se vítima de suas obsessões e desencarnou após anos de terrível sofrimento íntimo. A vaidade, a tentação de procurar poder e a ânsia pela popularidade em ser chamado de mestre supremo levaram-no à queda espiritual, material e física, pois quem se faz deus, por Deus é punido.

Será que o que sucedeu a Pai "X" vem acontecendo em nossos dias?

É necessário que se encare a doutrina como algo muito sério. Principalmente o médium deve se conscientizar de que é apenas um instrumento para servir às leis universais e espirituais.

Nós vivemos para servir, e não para sermos servidos!

DE ISRAEL A JESUS

De sua longa e movimentada existência, o povo de Israel deixou uma narrativa, a Bíblia Hebraica, na qual a realidade se expressa por meio de interpretações fundamentalmente religiosas.

A história de Israel teve início há cerca de 5 mil anos, em um pequeno território banhado pelo Mediterrâneo, entre o Egito e a Mesopotâmia. Ali viviam diversas tribos, das quais umas se fixaram no Norte e deram origem à Síria e outras, as dos hebreus, ergueram sua primeira cidade na região de Canaã, também chamada de Palestina. Os hebreus eram descendentes de Abraão, nascido em Ur, na Caldeia, de onde emigrou com toda sua família para Haran e, mais tarde, para Canaã, no vigésimo século antes de nossa era.

É a partir de Abraão e dos seus descendentes que os documentos sagrados podem ser considerados históricos, já que é impossível fixar datas precisas para os acontecimentos mencionados na Bíblia, como a criação do Éden, a criação de Adão e Eva ou o Dilúvio. Todos aqueles que veem a Bíblia como um livro sagrado consideram-na como escrita sob inspiração divina e, portanto, como norma de sua fé. Assim, apesar da multiplicidade de seus autores humanos, a Bíblia é vista como uma unidade, cujo autor principal é Deus. Foram necessários muitos séculos até que a Bíblia chegasse à sua forma atual.

No início, os acontecimentos eram transmitidos oralmente e só depois de muitas gerações começaram a ser relatados por intermédio de composições literárias. Da mesma forma acontece com os ensinamentos das religiões africanas, que também chegaram até nós principalmente pela transmissão oral, visto ser praticamente desconhecida a escrita para a maior parte dos povos africanos. Foram precisos muitos anos de laborioso trabalho de pesquisa para se chegar à Bíblia como a conhecemos hoje e é possível distinguir o que ela contém de histórico, o que é propriamente doutrina religiosa e o que não passa de literatura imaginativa ou lendas.

A Bíblia Hebraica recebeu, na Igreja Cristã, a denominação de Antigo Testamento ou Antiga Aliança e divide-se em três partes: a Torá ou a Lei, chamada ainda de Pentateuco (que compreende cinco volumes: Gênesis, Êxodo, Levítico, Números e Deuteronômio); os Profetas, que abrange desde os livros chamados históricos até os Salmos, Provérbios, etc. e os Escritos.

Os hebreus que se localizaram no fértil e estratégico vale a que chamamos Canaã eram chamados de cananeus e sua religião estava profundamente ligada à vida agrícola e à Natureza. Consideravam sagradas as montanhas, as fontes, as árvores, impunham certas restrições alimentares e cultuavam os mortos.

Pode-se notar aqui, perfeitamente, outro importante ponto de encontro entre a religião tradicional e as religiões africanas e, por extensão, a Umbanda como a praticamos hoje. O fato é que o homem jamais conseguirá imaginar ou desligar a vontade de Deus dos fenômenos da Natureza que mais o atingem.

Mas as bases da vida religiosa eram ocultas aos Baals e às Astarteias. Os Baals eram deuses locais, patronos dos agricultores, relacionados com a vegetação (Oxóssi?), as tempestades (Xangô?), as chuvas (Iansã?) e as fontes (Oxum, Nanã?). As Astarteias, muitas vezes identificadas como uma só deusa, representavam o princípio da fecundidade (Iemanjá?). No culto a esses deuses, eram frequentes as orgias e o derramamento de sangue (Exu? Pombagira?).

O Deuteronômio menciona a prática de sacrifícios humanos como um dos traços característicos da religião de Canaã (presença de Exu?). As origens, tanto do povo de Israel, como de sua religião, permanecem obscuras em vários pontos, devido à falta de dados precisos para recompor a sua história.

Criadores de cabras e ovelhas, os antepassados de Israel viviam agrupados em famílias ou casas. Estas, por sua vez, compunham os clãs, que formavam as tribos. O pai era o líder incontestável de sua família. O clã era formado pelos homens adultos ligados pelo mesmo sangue. Para se filiar ao clã, o menino, ao atingir a puberdade, devia submeter-se a certos ritos de iniciação, entre os quais o da circuncisão, que a princípio tinha apenas sentido social e que, posteriormente, passou a ser um rito religioso, sinal da aliança entre Javé (Deus) e seu povo. Não nos esqueçamos que o próprio Jesus foi circuncidado.

Dessa forma, constatamos que realmente nada há de novo sob o sol. O que se diz na Umbanda como culto já foi, em outras eras, aplicado nas mais antigas religiões. Não somos nós, mas os próprios livros sagrados que assim dizem: "A prática da circuncisão também era exercida nas cerimônias de iniciação do menino em algumas nações africanas, principalmente entre os mandingas".

Havia e, curiosamente ainda há, determinados grupos africanos que praticam também uma espécie de ritualística de circuncisão feminina, de caráter social e religioso, em que é feita, quase sempre pela mãe ou pela avó, a ablação dos grandes lábios quando a menina atinge a puberdade, ou logo após os primeiros ciclos menstruais.

Além dos mencionados anteriormente, cada clã constituía também uma unidade cultural, com seus *elohim* particulares. Os *elohim* eram, quase sempre, os espíritos ou deuses de uma certa árvore, fonte ou montanha sagrada, situada nos terrenos de percurso do grupo.

Residia principalmente nesta aproximação entre o homem e a divindade o sucesso de sua religião. Durante um período de grande fome em Canaã, muitas das tribos de Jacó foram obrigadas a se refugiarem no vale do Nilo, juntando-se a outros grupos de semitas. Essa emigração coincidiu com o domínio do Egito pelos hicsos, de 1675 a 1567 a.C., aproximadamente.

Quando Ramsés II (1302 – 1234 a.C.) subiu ao trono dos faraós, restaurou o culto de Seth, uma réplica egípcia do Baal cananeu, e reconstruiu a capital, recorrendo ao trabalho forçado dos hebreus.

Os judeus eram literalmente escravos dos egípcios quando nasceu Moisés da tribo de Levi – segundo a tradição, um homem que vivia numa extraordinária intimidade com Deus. São poucos os dados cronológicos precisos de sua vida, embora não reste a menor dúvida sobre a sua realidade histórica, exaustivamente mencionada na própria Bíblia (Êxodo 24: 9 -18: 34,9).

Moisés, cujo nome iniciático era Assarssif, sob a proteção da filha do faraó, foi um iniciado em todas as ciências dos egípcios (Atos 7: 22), recebendo de sua própria família a formação religiosa dos hebreus. Isso o colocou em um dilema: ou sua permanência na corte, ou a fidelidade aos seus. Optando por esta última, teve de fugir para o deserto, onde foi acolhido pelo sacerdote Jetro, da cidade Madian, cuja filha desposou.

Quanto a Moisés, conta a lenda que foi encontrado ainda bebê – em um cesto de vime impermeabilizado com cera, boiando nas águas do rio Nilo – por uma princesa egípcia que, tomando-o por seu protegido, o educou como um príncipe, dando-lhe o nome de Moshe (Moisés), que significa "aquele que foi salvo das águas".

A história mais uma vez se repete. Há inúmeros exemplos de casos em que sacerdotisas, virgens, princesas e outras mais que sofriam a proibição de relacionar-se sexualmente – caso das sacerdotisas – ou que não poderiam relacionar-se com alguém de posição socioeconômico-cultural diferente (princesa, etc.), mas que, apesar de tudo, mantinham, como manda a própria e imutável lei da Natureza, esse tipo de relacionamento, naturalmente oculto, em segredo. Contudo, quando surgiam os frutos dessas uniões condenadas pela sociedade, sempre eram apontados como de origem divina ou celestial. A Mitologia Greco-Romana é pródiga nesses nascimentos fantásticos.

O mais provável é haver sido Moisés filho da princesa egípcia com um soldado (ou um outro funcionário) judeu, pois só assim este poderia saber sua ascendência hebraica.

Em Madian, Moisés reencontrou as tradições patriarcais em sua pureza original, sem qualquer influência egípcia, vivendo uma experiência religiosa bastante intensa.

MAGIA NEGRA E OS EXUS* NA UMBANDA

Este é, sem dúvida, o assunto mais polêmico e confuso na Umbanda e no Candomblé, sendo raro encontrarmos opiniões iguais pela variação de entendimento e correntes de seguidores dentro dos cultos.

Entende-se por Magia a Força Vibratória destinada a atingir determinado objetivo. Pode ser benéfica (Magia Branca) ou maléfica (Magia Negra). A Magia Negra utiliza-se de espíritos inferiores para promover o mal.

A exemplo do Cristianismo dos primeiros tempos e de seus respectivos milagres, operados pelo próprio Cristo, a Umbanda, como religião nascente, é procurada principalmente por aqueles desiludidos de seus males, aparentemente sem solução, e que buscam nos terreiros a cura "mágica", por meio das entidades espirituais.

Existem ainda aqueles que, mal intencionados, procuram nos terreiros de Umbanda aquilo que só poderiam encontrar na Quimbanda (deturpação do termo africano, no qual o curador era o quimbandeiro e não o feiticeiro).

Ao contrário do que se imagina, a prática de feitiços pelo elemento negro no chamado terreiro de Quimbanda (geralmente escondido atrás do nome de Tenda de Umbanda) não é devido apenas à magia africana, mas principalmente à magia negativa europeia porque não somente o elemento negro a praticava, mas principalmente o elemento branco, conforme afirma Luís da Câmara Cascudo no seu livro *Meleagro*.

A presença do feiticeiro, da feitiçaria especialmente, é verificada desde

---

*N.E.: Sugerimos a leitura de *O Livro de Exu* e *Orixá Exu*, de Rubens Saraceni, Madras Editora.

os tempos coloniais brasileiros. Podemos citar como exemplo as denúncias e confissões prestadas na Bahia (1591-93), em Pernambuco e na Paraíba (1593-95) que evidenciam a fauna prestigiosa da bruxaria europeia, em funcionamento normal e regular. O colono português trouxe suas superstições e as semeou no Brasil inteiro assim como os escravos.

Os volumes que registraram as confissões e denúncias naqueles estados brasileiros evidenciam que a credulidade popular contemporânea tem raízes fundas na terra em que a raça se formou.

Ao feiticeiro Muloji, em Angola, hoje chamados quimbandeiros, eram confiados cabelos, unhas, humores, roupas usadas e outros afins para que, trabalhando no sujo (humores) ou no prolongamento (unhas, cabelos, etc.), pudesse fazer o feitiço.

Entre milhões de escravos que aqui chegaram, alguns eram realmente sacerdotes (vudoncis) altamente qualificados, e logo impuseram sua vontade entre os seus e também, até mesmo, entre alguns brancos. Os negros que para cá vieram não trouxeram apenas seus Orixás, mas também seus conhecimentos de Magia Negra, por um pequeno número de sacerdotes que formavam um mundo à parte, transmitindo o que sabiam a uns poucos discípulos, a sua arte, por dois motivos:

1º) Essa magia poderia ser usada contra eles próprios, se por acaso caíssem em mãos de pessoas não qualificadas.

2º) Esse conhecimento era restrito a uns poucos.

Por isso, a Magia Negra passou a ser condicionada a uma linguagem cifrada e cheia de complicações, que era completamente estranha aos leigos, sendo conhecida apenas pelos sacerdotes.

Para aprender a desmanchar um trabalho de Magia Negra, é preciso primeiramente aprender a fazê-lo e é nisso que está o "x" do problema. A capacidade de discernimento da pessoa em saber que nunca e, em qualquer hipótese, deve se utilizar desse saber para praticar o mal.

Cavalcanti Bandeira faz a seguinte abordagem sobre os Exus:

O Candomblé, com sua base africanista, considera o Exu como Orixá desobediente, capaz de perturbar as cerimônias, por isso devendo ser afastado, não só dos trabalhos, como da localização dos "quartos de santos".

O Exu tem então a sua casa trancada a chave e com cadeado, em um simbolismo dessa prisão, a qual fica próxima à entrada, por fora do prédio onde se realizam os rituais, e sem estar sob o mesmo teto dos Orixás, razão ainda por que lhes são ofertados os primeiros sacrifícios para evitar quaisquer interferências ou perturbações nos trabalhos a desenvolver.

Surge assim, um fundamento por todos aceito, permitindo ordenar alguns conceitos primários de que, aceitando ofertas e executando trabalhos, são dotados de algum conhecimento pelas suas nifestações, não sendo tão somente forças da Natureza, mas, não necessariamente, almas humanas, em um sentido reencarnacionista, sem levar em conta, ainda, a explicação do fundamento africano em sua irmandade com outros Orixás.

O Exu é considerado, então, pelos africanistas, como um mensageiro dos Orixás, ou uma força a ser mobilizada, sem a qual não se iniciam os trabalhos, pois lhe cabe dar a segurança nas tarefas, limpar o ambiente ou abrir os caminhos, o que não se consegue sem a sua permissão. É um guardião, uma sentinela pela qual se tem de passar, cumprimentar e agradecer.

Nos terreiros de Umbanda, ocorrem concepções diferentes havendo, no entanto, algumas ligações com a cultuação africanista que vão se diluindo com o passar do tempo.

Existem na Umbanda conceitos que requerem maiores esclarecimentos, como o Exu Pagão[1] e o Exu Batizado.

É necessário ingressar em um campo de vidas anteriores, esboçando etapas da evolução em função do passado que marcam as atuações no presente, em um entrosamento seletivo com a intenção dos trabalhos, com sensibilidade mais nítida ante as pessoas que procuram a ajuda espiritual, indo em uma escala desde a Magia Negra, da Quimbanda, aos trabalhos para o bem.

Este tipo de trabalho exige uma força semimaterial para poder penetrar nessas áreas poderosas, onde se localizam potências maléficas, necessitando para combatê-las, de guardiões que possuem afinidade com esses meios por meio de suas vibrações.

Muitas entidades trabalham sob a denominação de Exu. Cada um, cada lugar tem o seu guardião, o seu Exu, que deve ser convocado para agir naquele campo de vibrações densas, pois tudo existe e age conforme a afinidade de cada meio em função da mente dos participantes, seja para o bem, seja para o mal.

Com exceção de alguns meios umbandistas, nos quais encontramos por vezes para Exu, o fundamento africanista nítido, na maioria há uma função em torno do conceito de Exu-Alma, daí a denominação de Exu Pagão e Batizado. São situações que os próprios nomes definem, pois o Exu Pagão é tido como o marginal da espiritualidade, aquele sem luz, sem conhecimento da evolução, trabalhando na magia do mal e para o mal, em pleno reino da Quimbanda sem que, necessariamente, não possa ser despertado para evoluir de condição.

Já o Exu Batizado, caracteristicamente definido como alma humana, sensibilizada para o bem, trilhando um caminho de evolução, trabalha, como se diz para o bem, dentro do reino da Quimbanda, por ser força que ainda se ajusta ao meio, nele podendo intervir, como um policial que penetra nos antros de marginalidade.

Há, portanto, uma ligação muito acentuada de escalas de evolução

---

1. Quiumba

e situação espiritual, pois muitos revelam conhecimentos em demonstrar poderes curativos, distanciando-se do enquadramento de agentes do mal, em uma progressão dentro do terreiro, feita pela mediunidade dos seus médiuns, que também evoluem paralelamente.

Não se deve, entretanto, confundir Exu com espírito zombeteiro, mistificador ou equivalentes, porque estes pertencem a outra classificação, como espíritos legítimos que o são, daí a denominação específica de quiumbas, definindo de maneira precisa esses espíritos obsessores ou perturbadores, passíveis de evolução quando doutrinados ou esclarecidos da situação em que se encontram.

O lado feminino de Exu manifesta-se pela Pombagira (proveniente do termo Bombonjira). A Pombagira é explicada como sendo um espírito inferior, na maior parte dos casos estacionários, com o mesmo cortejo fálico e de vibrações densas, querendo ser comprada, por ser a mulher mais perseverante no seu conservadorismo, mas algumas aceitam o caminho evolutivo, dependendo do médium em quem incorporam.[2]

Os Exus são, então, enquadrados sob os seguintes aspectos:
– Orixá desobediente
– Alma ainda ligada à Natureza
– Espírito maléfico estacionário
– Espírito a caminho da evolução.

Ainda com relação aos Exus, devemos levar em conta o erro da chamada **Entidade Cruzada**.

Durante o curso de Formação de Sacerdotes de Umbanda da Federação Umbandista do Grande ABC, Ronaldo Linares explica o seguinte a respeito do assunto:

"Provavelmente a maior dificuldade que encontramos, quando do início deste curso, foi fazermos com que nossos alunos compreendessem que não há dualidade do espírito, ou seja, uma entidade espiritual só pode ser ela mesma e nunca ser ela em um determinado momento, para no instante seguinte, ser a mesma entidade sob um aspecto ou vibração diferente. Exemplos: a figura conhecidíssima de um espírito de Preto-Velho será sempre e invariavelmente a mesma, não pode ser Preto-Velho agora e Exu logo em seguida; o espírito de um Caboclo na Umbanda ou de uma entidade qualquer na mesa branca – Bezerra de Menezes, por exemplo, só para citar um dos mais conhecidos – será sempre a mesma.

Em outras palavras: **não existe dualidade da alma**; consequentemente um espírito não muda seu estado; logo, quando uma entidade se apresenta ora como Caboclo, ora como Preto-Velho, ora como Exu, será com toda a certeza apenas o último mencionado (provavelmente um quiumba) buscando,

---

2. Também existem quiumbas femininos.

como espírito atrasado, merecer as atenções que não lhe são devidas e que nós sempre dedicamos aos espíritos de luz.

É muito comum encontrarmos quer na chamada mesa branca, quer nos diferentes terreiros de Umbanda, espíritos atrasados que ganham o nome de obsessores ou de Exus e que, seja qual for o tipo de trabalho que estivermos desenvolvendo, procuram por meio de mil expedientes passar por entidades mais elevadas, o que não deve causar qualquer estranheza, pois no mundo profano e até no religioso, com uma frequência enorme, constatamos que aquele que mais deseja atrair sobre si a atenção dos demais, quer pelas roupas extravagantes, quer pelas atitudes, na maioria das vezes, são os menos capazes, ou menos aptos.

Os espíritos realmente esclarecidos não necessitam lançar mão desses meios para serem reconhecidos. Incide sempre em erro de identificação aquele que afirma que determinado espírito de luz veio na esquerda, ou trabalha na esquerda ou é também de esquerda, resumindo toda e qualquer forma de dizer que um espírito possa ser alternadamente bom e/ou mau.

QUAL, ENTÃO, A VERDADEIRA NATUREZA DO EXU?

Podemos definir o Exu como um espírito que tendo superado a barreira da morte (feito sua passagem, morrido, separado de seu corpo físico) constata, durante seu próprio julgamento, que mercê de ações vis que tenha praticado em sua última existência física, carregou-se de negatividade. São espíritos de pessoas que, antes de mais nada, são egoístas, mas que provocam a dor e o sofrimento físico e mental a seus amigos, parentes, dependentes e a quantos possam explorar. São espíritos sem luz e que se encontram tão atrasados, que, independentemente de reunirem méritos para se igualarem aos espíritos de luz, tudo fazem para confundir-se com estes.

Quando procurados junto às tronqueiras e aos reinos de Exus, raramente falam sobre si mesmos, e quando falam geralmente blefam. Parecem divertir-se com a ingenuidade de seus interlocutores, procuram sempre demonstrar um poder, uma superioridade que estão muito longe de possuir, ou então muito matreiros, mostram-se inseguros e submissos para melhor enganar. Nunca dizem seus verdadeiros nomes, ou melhor, os nomes com que eram conhecidos quando em vida, preferindo sempre a designação genérica de Exu, quando se pergunta a um deles: "Qual o seu nome?" A resposta geralmente é seca: "Exu". E é preciso, às vezes, muita paciência para que adiantem algo mais. Se forçados, geralmente escolhem um nome pelo qual desejam ser conhecidos pelo grupo, e que pode perfeitamente ser outro completamente diferente em outro grupo. Traiçoeiros e ladinos, eles enganam às vezes as pessoas de tal forma, que passam por verdadeiros deuses. Creio mesmo que não haveria exagero algum em afirmar-se que médiuns e chefes de terreiro mal preparados chegam a transformar seus terreiros em templos de demonologia e a si mesmos em seguidores sectários desses mesmos pobres diabos.

Os que esperam um mundo de conquistas terrenas e que, para isso, chegam a tornar-se totalmente dependentes desses a quem chamamos Exus, somente muito tarde perceberão que longe de terem se aproveitado desses espíritos, foram por eles aproveitados, longe de haverem sido senhores, são escravos.

Zélio de Moraes, o eleito por Deus para nos trazer a sagrada lei da Umbanda, ensinava: *Com os espíritos de luz devemos aprender, e aqueles que carecem dessa mesma luz devemos ensinar, e a nenhum devemos negar uma oportunidade de se comunicar.* Como médiuns somos apenas os aparelhos, os cavalos, de que eles se servem para suas comunicações, nós não somos eles.

NÃO SERIA MAIS LÓGICO ENTÃO NEGARMOS A INCORPORAÇÃO A ESSES ESPÍRITOS SEM LUZ?

Negar a possibilidade de incorporação a qualquer espécie de espírito que tenta se comunicar é contrariar a própria razão da existência da Umbanda. Lembremo-nos das palavras do Caboclo das Sete Encruzilhadas, quando de sua primeira manifestação: *Amanhã, na casa em que meu aparelho mora, haverá uma mesa posta para toda e qualquer entidade que queira manifestar-se, independentemente do que tenha sido em vida.*

Qualquer atitude que tomarmos para impedir a presença de qualquer forma de espírito em nossas reuniões, é sempre uma forma preconceituosa de proceder, e naturalmente contrária aos ensinamentos de Zélio de Moraes. Os espíritos sem luz não devem ser imitados, ridicularizados ou idolatrados, eles devem ser compreendidos e esclarecidos; a doutrinação não é privilégio de uma determinada forma de espiritualismo, mas dever de todas as doutrinas espiritualistas.

O médium que nega oportunidade a um espírito que deseje se comunicar, por medo de se contaminar, ou por escrúpulos morais, procede como aquele policial que se recusa a patrulhar determinada parte da cidade, porque lá existem bandidos e malfeitores, mas não é justamente para proteger a sociedade que existem esses policiais?

Não são os trabalhos com os Exus que tornam o médium melhor e nem pior, mas sim a sua própria intenção de promover o bem ou o mal, de trazer luz sobre um assunto dúbio, ou de se acumpliciar na maldade. Aquele que diante de um Exu se torna servil e se limita a concordar com tudo o que a entidade diz ou exige não está, de forma alguma, ajudando esse espírito a enxergar a luz, e muito menos exercendo a chefia honesta de um terreiro, mas sim se transformando em mero executor de suas ordens.

Com relação a Pombagira, Ronaldo Linares, esclarece o seguinte:

"A tão decantada Pombagira, nada mais é que a figura de um Exu feminino, e que não significa, obrigatoriamente, a figura de uma decaída. Pode até mesmo ter sido em vida uma religiosa de qualquer credo, e até não ter conhecido o sexo, tendo feito sua passagem ainda virgem." Não há maldade no sexo lícito e essa maneira de ver pecado no relacionamento sexual é uma grande tolice, um pensamento imposto pela Igreja tradicional com raízes medievais. Quem teve a oportunidade de trabalhar ao lado de uma irmã de caridade em um dos muitos hospitais do Brasil, ou mesmo aquele que ficou na dependência de uma azeda solteirona, chefe ou funcionário importante de uma empresa ou repartição pública, aparentemente eficiente, que prima por tornar a vida de seus subordinados um verdadeiro inferno, implicando por tudo e por nada, enfim, a personificação da maldade, sabe o que queremos dizer.

Essas criaturas, geralmente, não chegam a conhecer a intimidade de um relacionamento carnal e provavelmente, até por isso, transformam-se em verdadeiros cactos humanos, cercam-se de espinhos em uma autêntica barreira a qualquer contato ou tentativa de aproximação a criaturas de sexo oposto, descarregando seus traumas e frustrações nos que se encontram mais perto, geralmente humildes servidores, familiares, etc. Repito, muitas vezes são de assistir a missas, cultos evangélicos e até mesmo sessões espíritas de Umbanda ou não, o que não as transformam, infelizmente, em seres melhores. A maldade, e não apenas a sexualidade, é que forma uma Pombagira.

Isso naturalmente não exclui as meretrizes de se tornarem Pombagiras e também não quer dizer que toda solteirona ou irmã de caridade-enfermeira seja má. Muito pelo contrário, existem algumas que fazem de suas vidas um verdadeiro sacerdócio e que, com sua compreensão e carinho, aliviam as dores e sofrimentos de seus pacientes. Estas são os exemplos a serem seguidos."

Vejamos a opinião de Zélio de Moraes sobre Exu na entrevista com Lilia Ribeiro:

– Considera o Exu um espírito trabalhador como os outros?

– O trabalho com os Exus requer muito cuidado. É fácil ao mau médium dar manifestação como Exu e ser, na realidade, um espírito atrasado como acontece, também, na incorporação de Criança. Considero o Exu um espírito que foi despertado das trevas e, progredindo na escala evolutiva, trabalha em benefício dos necessitados. O Caboclo das Sete Encruzilhadas ensinava que Exu é, como na polícia, o soldado. O chefe de polícia não prende o malfeitor; o delegado também não prende. Quem prende é o soldado, que executa as ordens dos chefes. E o Exu é um espírito que se prontifica a fazer o bem, porque cada passo que dá em benefício de alguém é mais uma luz que adquire. Atrair o espírito atrasado que estiver obsedando e afastá-lo é um dos seus trabalhos. E é assim que vai evoluindo. Torna-se, portanto, um auxiliar do Orixá.

Percebe-se, nas palavras de Zélio, que o Exu é um espírito que não necessariamente faz o mal. Muitos espíritos atrasados (quiumbas) baixam nos terreiros fazendo-se passar pelos verdadeiros Exus.

Citamos a seguir algumas opiniões de autores famosos sobre Exu. Roger Bastide (*As Religiões Africanas no Brasil*) diz:

> *Ouvi os negros da Bahia protestarem contra o nome do diabo dado às vezes a Exu, porque percebem o que separa a figura do Exu da do Demônio: "Não, Exu não é o Diabo, ele não é mau".*

Isto retrata a artimanha da Igreja Católica e outras igrejas que sempre procuraram associar a figura de Exu com o Diabo, pois sem ele, elas não sobreviveriam. Para exercer maior domínio sobre os fiéis (contribuintes), a Igreja Romana recorreu à doutrina de Zoroastro, em que há um Céu e um Inferno administrados pelo deus do bem (Orzmud) e o deus do mal (Ariman). Ainda sobre a associação de Exu com o Diabo, Edison Carneiro (*Os Candomblés da Bahia*) diz:

> *Exu ou Elegbará tem sido largamente mal interpretado. Tendo como reino todas as encruzilhadas, todos os lugares esconsos e perigosos deste mundo, não foi difícil encontrar-lhe símile no Diabo cristão.*

Mas não é só com o Diabo que Exu é sincretizado. Às vezes encontra similitude em Santo Antonio, porque induz à tentação, incita maus pensamentos e perturba as cerimônias (Santo Antonio teria sido perturbado por demônios). Também é sincretizado com São Bartolomeu, porque no dia 24 de agosto, dia desse santo, costuma-se dizer que *todos os demônios estão soltos*.

Um sincretismo pouco usual é encontrado no Rio Grande do Sul, onde o seu símile é São Pedro, pois este santo é o porteiro do Paraíso, é o responsável pelo tráfego das almas, é ele quem abre e fecha os caminhos. Nos candomblés o assentamento de Exu encontra-se à porta das casas.

O termo Exu pode sofrer pequenas variações em função da nação africana que influenciou determinado candomblé. Assim temos:

- Keto – EXU
- Gêge – ELEGBARÁ
- Angola – ALUVAIÁ
- Congo – BOMBONJIRA

Tese sobre os sacrifícios animais defendida no Terceiro Congresso Paulista de Umbanda em 1982, por Ronaldo Linares.

Perde-se na poeira dos tempos a origem dos sacrifícios animais, quer seja na Umbanda, quer seja em qualquer outra forma de religião pois, praticamente todo povo primitivo, em algum momento de sua história, pretendeu apaziguar ou agradar de alguma maneira, qualquer forma de divindade, oferecendo-lhe sangue (vida) de um animal e, muitas vezes, até mesmo de seres humanos.

Não citaremos, neste despretensioso trabalho, todas as formas conhecidas de crenças e religiões que adotaram o sacrifício animal, pois isto nos tomaria um espaço-tempo enorme, todavia, como a Umbanda é o fruto do conhecimento religioso de raças distintas, a saber: a raça branca, a raça negra e a raça vermelha, deveremos nos preocupar ao menos com estas.

OS BRANCOS

A primitiva civilização que se estabeleceu em Canaã desde o quarto milênio a.c. acabou por absorver os princípios religiosos das diferentes raças que chegaram até ela. A religião dos cananeus, como o próprio Cristianismo e atual Umbanda, está profundamente ligada à vida agrícola e à Natureza. Considerava sagrada as montanhas, as fontes, as árvores; impunha certas restrições alimentares e cultuava os mortos. Mas a base da vida religiosa era o culto aos Baals e às Astarteias. Os Baals eram deuses locais, patronos dos agricultores, relacionados com a vegetação, as tempestades, as chuvas e as fontes. As Astarteias, muitas vezes identificadas como uma só deusa, representavam o princípio da fecundidade. No culto a esses deuses eram frequentes as orgias e o derramamento de sangue.

O Deuteronômio (Velho Testamento) menciona a prática de sacrifícios humanos, especialmente crianças, como um dos traços característicos da religião de Canaã. Foi nessa época que, durante o século XX a.C., surgiram os patriarcas de Israel (Abraão, Isaac e Jacó), as origens do povo de Israel, bem como a sua religião.

O povo israelita tinha nos seus sacrifícios animais seu mais importante ato litúrgico, até a queda do templo, e Herman Wouk como bom judeu escreveu em 1965: "O rito central e mais pitoresco do Pessah,[3] que era o ato de comer a carne de cordeiro, não existe mais. O cordeiro deveria ser morto no pátio do templo. Alguns gentis historiadores do Judaísmo preferem não mencionar o fato de que o templo sagrado era, em parte, um matadouro."

Relembrando este fato, os cristãos mencionam no ritual da missa e, referindo-se ao próprio Jesus como "JÁ FOI O CORDEIRO IMOLADO",

---

3. Pessah: Páscoa, lembrança da grande magia de Moisés, que determinou a cada judeu que usando o sangue de um cordeiro, marcasse a porta de suas casas, quando da grande praga contra o povo do faraó egípcio.

ou seja, o próprio Cristo "CORDEIRO DE DEUS, POR SEU SANGUE DERRAMADO".

Já não podemos citar apenas a Antiguidade em matéria de sacrifícios humanos e animais, a própria Igreja Católica, sob a égide da Inquisição, também realizou milhares e milhares de sacrifícios humanos com os piores requintes de crueldade e, mesmo em nosso tempo, encontramos elementos de etnia branca envolvidos com práticas satanísticas. Exemplo: em 1963, a princesa Irene, da Grécia, escreveu em uma revista britânica que assistira a uma missa negra em uma adega de Paris, incluindo o sacrifício de um frango preto. Temos ainda o triste fato do sacrifício da atriz Sharom Tate, nos Estados Unidos, pelo macabro grupo de Charles Mason de tão horrenda memória.

OS NEGROS

No continente africano, também eram comuns os sacrifícios animais. Um negro, quando se afastava de sua aldeia, sabendo que enfrentaria inúmeros perigos (não nos esqueçamos que a África é pátria dos maiores felinos da face da Terra),[4] antes de partir sacrificava uma ave (quase sempre conquém ou galinha d'angola), ou outro animal, para que o espírito que mora na rua, o espírito maligno, talvez um ancestral vingativo, aceitando sua oferenda, o privasse de dissabores, ou ainda o ajudasse a livrar-se do ataque de uma fera ou de um inimigo. Sacrifícios também eram executados para agradar a um determinado Orixá, ou para conseguir-se uma boa caçada, ou ainda uma boa colheita.

OS ÍNDIOS

Ironicamente, é justamente entre aqueles que chamamos selvagens que menos referências encontramos aos sacrifícios animais, embora não se possa negar os sacrifícios humanos, quase sempre seguidos de canibalismo, também de sentido espiritual ou religioso, pois a quase totalidade dos índios que a praticavam via no ato de comer parte do corpo de um inimigo uma forma de receber, também, determinadas características do sacrificado. Por exemplo: o índio que matasse um outro índio, valente e destemido, acreditava que ao comê-lo adquiria suas características, por outro lado, se o inimigo morto fora um covarde, sua carne era desprezada e abandonada aos animais da floresta.

---

4. Lembre-se que o lar é lugar sagrado e que o mal mora na rua. É na rua que se encontram a violência e o desrespeito, consequentemente é na rua que os espíritos inferiores são mais facilmente encontrados.

Na verdade, os antropólogos não fazem referências a hábitos de sacrificar animais a deuses entre nossos índios, que quase sempre respeitam a Natureza e só matam o indispensável para a sobrevivência.

Explicada a origem histórica dos sacrifícios animais, e se compreendemos que as comunidades mais pobres do Brasil, principalmente em Salvador, na Bahia e no Rio de Janeiro, são constituídas principalmente por negros e mestiços, que após a separação Estado-Igreja e o advento da República passaram a ter liberdade de crença, embora continuassem paupérrimos, viram no Candomblé, deturpada forma de culto africano, uma maneira de prover de proteína animal a minguada mesa.

Dessa forma, para cada pata de um animal quadrúpede abatido, seriam necessárias quatro aves, o que totalizaria 16 aves para cada sacrifício a um Orixá. Nesses sacrifícios, as patas e as vísceras eram destinadas ao Ebó ou oferenda; o restante aos frequentadores e participantes do Candomblé. Assim sendo, como entre os judeus do passado o sacrifício tinha dupla intenção – era ao mesmo tempo sagrado e profano – as partes nobres de cada animal sacrificado iriam para a mesa e as outras, destinadas aos deuses ou demônios do panteão africanista.

Com o advento da Umbanda por Zélio de Moraes e pelo Caboclo das Sete Encruzilhadas, foi dado início a um movimento espiritual diferente. Segundo as palavras do Caboclo das Sete Encruzilhadas, a Umbanda era o Espiritismo ao alcance do povo sem as complicações e o elitismo do kardecismo nascente, e admitia todos os espíritos que desejassem se comunicar, independentemente do que haviam sido em vida: *Com os espíritos mais adiantados aprenderemos, aos espíritos atrasados ensinaremos e a nenhum desprezaremos.* Dessa forma, abriram-se as portas dos Templos de Umbanda para aqueles espíritos que tradicionalmente eram banidos das mesas kardecistas e que erroneamente confundimos com os Exus africanos ou o Diabo Apostólico Romano, que acabaram por encontrar em alguns seguidores da Umbanda, ainda despreparados, não-chefes de terreiros, mas solícitos "garçons", que atendem sem pestanejar a qualquer solicitação de Exu, desde que seus próprios pedidos sejam considerados e atendidos, o que fez com que os nossos detratores passassem a relacionar todo e qualquer sacrifício animal com a Umbanda.

Há, todavia, um fato importante que não podemos deixar de citar. Existe muita similitude entre algumas práticas do Candomblé e as utilizadas na Umbanda. Mercê da miscigenação ocorrida principalmente em consequência da presença do elemento negro nos primeiros terreiros de Umbanda, chegou-se ao ponto de muitos rituais utilizados na Umbanda serem de origem candomblecista e entre estes, talvez, o mais importante seja justamente o AXOGUM.

O AXOGUM é uma cerimônia em que o Chefe de Terreiro libera seu filho de fé de sua tutela, ou seja, corta o "cordão umbilical" espiritual que une o filho ao pai, dando-lhe o direito de seguir só o seu caminho.

Essa cerimônia pode ser assim descrita: o Pai Espiritual (Pai do segredo) sacrifica uma ave (ou outro animal) quase sempre velha (um galo velho, por exemplo), que simboliza a experiência do próprio Pai Espiritual sobre o filho de fé. No sangue do animal sacrificado molha a lâmina e o cabo da faca e faz com que o filho, pela primeira vez, faça também um sacrifício animal, cuja escolha geralmente recai sobre um frango novo, e a oferenda sempre é dedicada a Exu. Após esse corte simbólico, o vínculo que existe entre o velho e o novo chefe de terreiro candomblecista se altera, pois o jovem, a partir desse momento depende menos de seu iniciador.

Essa prática é também facilmente encontrada em tendas de Umbanda que, por falta de um código disciplinador, usam os rituais africanos em suas práticas, da mesma forma que usam o calendário cristão.

Creio que seria dever do Conselho dessa egrégia organização superior da Umbanda, garantir a estas tendas uma forma ritualística alternativa.

Pelo expostos e considerando que os sacrifícios animais, embora existindo em quase todas as formas primitivas de culto, sempre foram abolidos à medida que a religião evoluiu; considerando que não temos ainda um órgão disciplinador que possa garantir a mesma regra, o mesmo rito e o mesmo culto a todos os umbandistas; considerando que o ideal de fraternidade expresso em nossa doutrina não se coaduna com os sacrifícios animais ainda que dirigidos a espíritos inferiores. Considerando ainda as deturpações e o desprestígio que isso causa para o bom nome da Umbanda, venho propor a essa egrégia mesa: A PROIBIÇÃO DOS SACRIFÍCIOS DE ANIMAIS, em nome da Umbanda, pois que um só homem não pode mudar o rito, mas a vontade soberana deste plenário religioso, SIM!

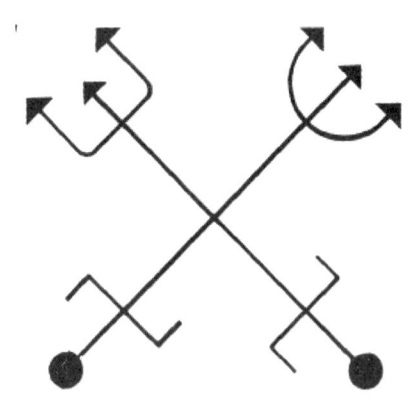

Figura 11: Ponto de ordem geral dos Exus.

Autossugestão, Guias Amarrados, Carnaval, Semana Santa e Natal

Não são apenas os médiuns que sofrem da autossugestão, os psicanalistas que o digam. Mas como nós não somos psicanalistas e não vamos cuidar de pessoas que precisam desse tipo de tratamento, não entraremos neste campo. Falaremos apenas daquilo que envolve a parte espiritual dos médiuns, principiantes ou não.

Com mais frequência do que imaginamos, vários chefes de terreiros usam de pressões para conservar seus médiuns presos ao terreiro, por diferentes motivos. Alguns, financeiros; outros, por falta de capacidade pessoal ou espiritual, usam da autossugestão para influenciar seus associados e médiuns. Por falta de conhecimento, o médium que frequenta uma determinada casa de caridade, por vários motivos, tais como: a distância de sua residência ao terreiro ou problemas no lar ou mesmo dentro do terreiro, pede seu afastamento. O chefe do terreiro e, às vezes, o "guia chefe" também, avisa que se o filho de fé se afastar de sua casa sofrerá várias formas de dissabores e de contratempos, quando não ameaça o filho de fé de amarrar os seus guias e, dessa forma, ele não terá mais condições de trabalhar espiritualmente.

Partindo do princípio de que quem nos dá a condição de trabalhar espiritualmente, por meio de nossa mediunidade, é Deus, pressupõe-se, então, que o chefe do terreiro em questão tem poderes maiores do que Ele. Você acha que isso é possível? O que frequentemente ocorre é que o filho de fé, ou o principiante, vai a um terreiro e nesse local encontra apoio, um caminho a seguir com tranquilidade e, com toda a certeza, tem fé no chefe e em seus guias. Quando este lhe diz estas palavras, ele condiciona-se emocional e psicologicamente a isso, fecha-se em um círculo, cerceando as entidades, não dando condições aos seus guias de incorporarem. Se por acaso ele diz que sente a sua aproximação, a resposta (sempre a mesma ou com algumas variações) é que quem a seu lado são entidades negativas ou então que precisa de algum tipo de trabalho de desobsessão ou outro qualquer, e assim por diante.

Tudo isso é autossugestão. **Ninguém amarra guia de ninguém.** Aí você nos pergunta: por que em trabalhos de desobsessão, ou quando uma entidade rebelde se apresenta e tentamos doutriná-la debalde, normalmente costumamos dizer-lhe que ela irá amarrada para o espaço, onde encontrará entidades que a encaminharão a regiões em que ela deverá ficar até ser doutrinada? Ou então a hospitais, nos quais será tratada e, dessa forma, conseguirá a compreensão para o seu estado espiritual? Note que essa entidade irá se sentir realmente amarrada, porque só assim as entidades de luz poderão conduzi-la ao local mais adequado, o que, de outra forma, não seria possível. Mas, veja bem, é uma entidade que não tem compreensão, é rebelde e prejudica a matéria de alguém, além de ser atrasada e como tal se condicionará a ser amarrada.

Agora responda: como se lhe afigura um Ogum, um Caboclo ou um Preto-Velho amarrados? Uma entidade de luz presa, atada, amarrada ao bel-prazer do chefe do terreiro e ao seu redor alguns quiumbas zombando da situação. É incrível, não? Por aí, pode-se constatar que se você está em paz com sua consciência, se corresponde àquilo que seus guias lhe pedem, se pratica a religião com honestidade, se age naturalmente sem cultuar em seu coração a inveja, o ciúme e o egoísmo, seus guias jamais lhe virarão as costas e muito menos serão amarrados feito escravos de quem quer que seja.

Prosseguindo com a questão da autossugestão, lembramos três ocasiões em que esta situação faz-se presente e que se torna muito marcante. Assim, vejamos: o carnaval, época em que reina a libertinagem. Não falamos do carnaval sadio, em que famílias e amigos divertem-se, brincam, fantasiam-se para cantar alegremente, mas daquele em que homens e mulheres desvirtuam-se, rebaixam-se moralmente, usando de situações escusas para burlar a lei moral. Pode-se ter certeza de que, nessa época, muitas são as falanges de espíritos vampirescos e debochados que estão à solta, aproveitando-se das situações. Existem determinados terreiros que não trabalham nesses dias, temendo que a vibração dos espíritos mistificadores atue e perturbe os seus trabalhos. Só trabalham em casos de muita necessidade.

Em seguida, falaremos sobre a Semana Santa. Se analisarmos a situação, veremos que nela a vibração negativa parte para outro lado. Se você perceber, se for sensitivo, sentirá que existe um estado de depressão no ar. Todos só falam do sofrimento de Jesus, de seu martírio na cruz e, com isso, a atmosfera que nos envolve fica saturada de vibrações negativas, um ar pesado, em que sentimos, sem querer, um estado de angústia. Neste período, um número muito grande de espíritos sofredores que, absorvendo forças da nossa parte mental para atuar neste campo, agem sobre nós, porque o poder do nosso pensamento negativo lhes dá a condição de atuarem mais acentuadamente. Já, em contrapartida, o Natal, com raras exceções, faz-nos vibrar em amor, alegria e expansividade. Nota-se no ar um quê de felicidade na aparência das pessoas. Todos querem confraternizar-se. Se você analisar essas duas épocas, verá que a força do pensamento age segundo a situação: tristeza em uma, alegria em outra, sem esquecermos que essas não são as datas em que realmente ocorreram os eventos e sim uma suposição, pois o nosso calendário é recente e sofreu várias alterações. Na época em que Cristo passou por aqui, a contagem dos meses era diferente. O nosso calendário foi revisto pelo papa Gregório, por isso nós o chamamos de Calendário Gregoriano.

Falando em força mental, por que será que as entidades de esquerda quase sempre, com raras exceções, solicitam que seus trabalhos sejam feitos à meia-noite e as entidades de luz pedem que as preces, fluidificação da água, etc., sejam feitas às 6h ou às 18h? E por que à meia-noite muitos já ficam de sobreaviso? As pessoas não-espiritualizadas dizem ser hora de fantasmas, de vampiros e assim por diante; as que professam a religião Umbandista de antemão afirmam ser a hora em que os Exus têm mais força. É claro que eles podem ter mais força nessa hora, pois é nesse horário que milhares de pessoas lhes fornecem vibração mental. O mesmo se dá com a hora da Ave-Maria: todos erguem os seus pensamentos à Virgem Maria e as suas preces formam uma corrente muito forte, tanto que até doentes muito graves, após tomarem da água fluidificada, sentem-se melhor (alguns chegam até à cura por meio dessa corrente).

Para terminar, vamos supor que você vá a um trabalho espiritual e uma entidade negativa peça-lhe que acenda uma vela à meia-noite. Coisa simples, porém se nós estivermos em horário de verão, corresponderá ao adiantamento de uma hora nos relógios. A que horas, então, você acenderá esta vela? Se você seguir o relógio, não será mais meia-noite e sim 11h. Se você seguir o horário certo, você então só a acenderá à uma hora da madrugada. Qual é a sua opinião? Vale a hora ou a força de seu pensamento?

O Dia de Finados e a Umbanda

No dia 2 de novembro reverenciamos a memória dos entes queridos já desencarnados. Muitos umbandistas mantêm a tradição de visitar o campo-santo neste dia. Nada de prejudicial vemos nesse ato, porém, devemos levar em conta que o médium capta muitas vibrações, inclusive negativas, presentes no cemitério. Recomendamos a todos que forem visitar o cemitério (em qualquer época) que previamente preparem um banho de defesa (contendo sal grosso) para tomarem quando regressarem ao lar.

OFERENDA A EXUS E OBALUAIÊ

No dia que antecede o dia de Todos os Santos e o dia de Finados, ou mesmo no próprio dia, o filho de fé pode fazer uma oferenda às suas entidades negativas para pedir-lhes reforços de proteção aos trabalhos. Deve para isso comprar uma língua de boi de tamanho médio e prepará-la da seguinte maneira:

Depois de limpá-la muito bem (retirando a garganta), deverão ser feitos seis cortes transversais, com a profundidade de mais ou menos um centímetro, dividindo a peça em sete pedaços, mas sem separar um do outro. Enquanto faz os cortes, deve invocar o nome do Exu com o qual trabalha. Se forem dois, invoca ora o nome de um, ora o nome de outro.

Se o Pai Espiritual quiser, pode preparar a oferenda diante do congá, com a presença do pai ou mãe pequena e daqueles médiuns com os quais mantém contato. Nessa situação, deverá invocar também o nome dos Exus com os quais os demais trabalham.

Deverá fazer outros seis cortes, cruzando os que já foram feitos. Em seguida, deverá abrir os cortes e colocar azeite-de-dendê, untando muito bem a língua. Dentro de cada talho distribuirá sete pimentas-da-costa.

Depois de preparada, esta deverá ser acomodada dentro de um alguidar de tamanho razoável para que a peça fique completamente dentro dele. Observe o esquema anterior.

Essa oferenda deverá ser levada ao cemitério e entregue, em um lugar afastado e de pouco movimento, entre duas sepulturas.

Ao entrar no cemitério, o filho de fé deve dirigir-se para o lado esquerdo, bem para o fundo. Chegando ao local da entrega, deve forrar o chão com sal grosso e colocar o alguidar em cima. Em volta, deverá acender sete velas pretas e sete vermelhas, molhando ao redor com o curiador da entidade ou então deixando-o no local, além de charutos e cigarros para Pombagira.

Enquanto faz a oferenda, o filho de fé deve conversar com a entidade, pedindo ajuda e proteção. Terminando, dá o paô (saudação a Exu).

Antes de sair do cemitério, o filho de fé deve passar pelo cruzeiro das almas e fazer a seguinte oferenda a Obaluaiê (Orixá dos cemitérios):

Um alguidar contendo pipocas estouradas em azeite-de-dendê (sem sal e sem açúcar) e coco fatiado. Sobre essa oferenda, é derramado vinho branco doce. O resto do vinho é deixado ao lado dela. Ao redor, acendem-se sete velas para Obaluaiê (brancas ou pretas e brancas).

Quando retornar ao lar, o filho de fé deve tomar um banho de defesa contendo sal grosso.

Ritual para Abertura dos Trabalhos

Ao deixar os vestiários, os filhos de fé devem dirigir-se ao terreiro, preferivelmente em silêncio, procurando afastar de suas mentes, pensamentos profanos que possam perturbar suas concentrações.

Ao chegar ao portal de acesso ao terreiro, terá que cruzar o chão três vezes com a sua mão direita. Isso o obrigará a tocar o solo com um dos joelhos, ato de humildade que significa que o referido filho de fé reconhece estar pisando em solo sagrado.

A seguir, dirige-se ao congá (altar), onde se prosta de bruços diante da imagem que representa Oxalá, toca a esteira ou toalha com a testa (BATER CABEÇA), reconhecendo sua própria dependência divina. Suas mãos colocadas no mesmo nível que a cabeça deverá ter as palmas voltadas para cima, de onde emanam as vibrações positivas de Deus e dos Orixás cultuados na Umbanda. Nesse momento, em prece mental, deve pedir aos mentores e aos Orixás seu valioso auxílio e suas luzes, para o melhor desempenho de suas funções mediúnicas. A seguir, fica de joelhos e cruza o chão três vezes com a parte externa da mão, repetindo mentalmente: "POR OLORUM, POR OXALÁ, POR IFÁ".

Se o Babalaô, seu equivalente, ou qualquer outra entidade religiosa estiver no terreiro, deverá ser saudado com o mesmo respeito, segundo o ritual, após o que deverá dirigir-se ao seu lugar e manter-se em meditação à espera do início dos trabalhos. O silêncio entre os filhos de fé deve ser absoluto, o mesmo se exigindo dos frequentadores que não fazem parte da gira (fazem parte integrante da gira: o Babalaô, os médiuns, cambonos e ogãs).

O trabalho tem início quando o Babalaô começa a cantar o ponto de abertura da Jurema, que consiste no seguinte:

Vou abrir minha Jurema
Vou abrir meu Juremá
Vou abrir minha Jurema
Vou abrir meu Juremá
Com a licença de Mamãe Oxum
E Nosso Pai Oxalá
Com a licença de Mamãe Oxum
E Nosso Pai Oxalá

O ponto de abertura deve ser cantado de maneira harmoniosa por todos os participantes do trabalho, inclusive a assistência.

Enquanto se canta o ponto de abertura, o Babalaô ou sua mãe pequena, ou dois médiuns ou ogãs especialmente designados, vão descerrando a cortina que mantém oculto o congá, bem como aquela que separa o corpo mediúnico dos assistentes.

A seguir, a curimba (atabaqueiros e cantores) e os demais irmãos de branco cantam o ponto de "Bater cabeça" para que o Babalaô faça a sua saudação ao congá e que consiste no seguinte:

Bate cabeça
Filho de Umbanda
Pede forças a Nosso Pai Oxalá
Bênção Papai... Bênção Mamãe
Filho de Umbanda tem coroa de Oxalá
Com a mão direita
Pede uma bênção
Bate cabeça e vai saudar seu Orixá

Após fazer essa saudação ao Congá, o chefe do terreiro vai prostrar-se ante a linha divisória que separa o espaço destinado ao público, voltado para a porta da rua ou então para o lugar destinado ao assentamento de Exus e, em prece mental, roga pela segurança dos trabalhos e de seus filhos de fé.

Não é comum cantar para Exu na abertura dos trabalhos. Esse hábito tão enraizado na maioria dos terreiros, em primeiro lugar, tem sua origem no Candomblé, pois este teme o "egum" (espírito dos mortos) e pede ao Exu que impeça a presença deste. Na Umbanda, nós motivamos o egum, pois o Caboclo, o Preto-Velho, a Criança são eguns e todo aquele que já teve existência física é um.

A seguir, o chefe do terreiro se coloca à direita do congá (de quem olha para ele) e inicia-se o mesmo cântico anterior para que todos os participantes de branco o saúdem também da mesma forma que fizera o Babalaô. Após a saudação, o filho de fé prostra-se diante do Babalaô, que cruza três vezes as suas costas enquanto repete mentalmente: "POR OLORUM, POR OXALÁ, POR IFÁ". Em seguida, toca levemente o ombro do filho para avisar que o cruzamento já terminou. O filho de fé fica, então, de joelhos e toma a bênção do Babalaô.

Após todos os filhos de fé terem saudado o Babalaô, inicia-se a defumação. Um dos pontos mais cantados neste momento é:

Defuma com as ervas da Jurema
Defuma com arruda e guiné
Defuma com as ervas da Jurema
Defuma com arruda e guiné
Com benjoim, alecrim e alfazema
Vamos defumar filhos de fé
Com benjoim, alecrim e alfazema
Vamos defumar filhos de fé

Esse ponto deve ser repetido quantas vezes forem necessárias, para que todos os membros da gira sejam envolvidos pela fumaça, principiando-se em defumar o congá, tarefa executada pelo Babalaô, que após defumá-lo, delega a seu pai pequeno ou mãe pequena, ou a um ogã, a tarefa de defumar os demais, incluindo o próprio Babalaô.

O incensador de barro, contendo o defumador já aceso, deverá ser entregue ao Babalaô no início do cântico, por quem ele designou anteriormente.

Logo após, serão defumados os assistentes utilizando-se um ou mais incensadores, conforme o número de assistentes.

Terminada a defumação, ele faz a prece de abertura.

Após a prece, o Babalaô designa qual linha de trabalhos será chamada e então canta os pontos das entidades. Geralmente também saudamos os guias de luz e os Orixás que normalmente trabalham no terreiro, antes do início dos trabalhos.

Dentro do terreiro não se consideram homens ou mulheres, existem médiuns, independentemente do sexo de cada um. Todavia a bem da moral e para evitar interpretações maldosas de estranhos, costumamos separar o corpo mediúnico de forma que os homens fiquem à esquerda de quem está de frente para o congá e as mulheres à direita.

Durante os trabalhos de um terreiro são praticados várias obras de caridade. Estas envolvem as tradicionais consultas com as entidades incorporadas, os passes espirituais, a desobsessão, as curas, etc.

Além dos trabalhos de rotina, ocorrem, em um terreiro, as festas relativas aos Orixás, aos Pretos-Velhos, às Crianças, etc. Também são realizados, ainda, os sacramentos: batismo de crianças (apresentação da criança à religião pelos pais), batismo do médium (obrigação a Oxalá), casamentos e bodas de prata e as pompas fúnebres.

Sobre os sacramentos, escreveremos nos próximos capítulos.

Pelo menos uma vez por ano devem ser realizados trabalhos na mata e na praia, para que os médiuns possam absorver a "energia vital da Natureza" e repor a energia dispendida ao longo dos trabalhos.

A Umbanda não tem uma codificação como o Espiritismo, porém possui um rito e um ritmo que lhe são peculiares e que sofrem pequenas alterações de um para outro terreiro.

Procedimento do Corpo Mediúnico Dentro do Terreiro

• Todo médium deverá chegar 15 minutos antes do horário marcado para o início do trabalho, devendo primeiramente cruzar três vezes a porta de entrada. Logo após, deve dirigir-se à área sagrada, sempre pedindo licença para entrar, aí então, invocar Olorum, Oxalá e Ifá. Em seguida, dirige-se ao congá e faz sua reverência a ele e aos Orixás da casa, pedindo a proteção para que o seu desenvolvimento ou trabalho tenha um bom êxito.

Feita essa reverência, o médium deverá cumprimentar os seus irmãos de fé e dirigir-se ao seu lugar de costume, onde deverá meditar em silêncio e pedir a assistência dos guias protetores para os trabalhos que serão realizados.

• Lembramos a todos os médiuns que a língua é a condenação da alma, porque aquele que dá ouvidos ao "ti-ti-ti" está sujeito a ser repreendido, pois quem dá atenção ao que não deve, recebe o que merece.

O terreiro é um lugar de meditação e trabalhos espirituais, não de comentários e observações. Jesus disse: "Orai e vigiai", para que não penetrem no rebanho ovelhas negras, evitando assim que se estraguem as outras.

A meditação e a firmeza de cada médium evitam que ocorram fatos desagradáveis durante os trabalhos.

• Todos os médiuns e iniciantes devem auxiliar os guias que trabalham no terreiro, porque cambonear é uma forma de aprender e também de doutrinar seu pensamento e maneira de ser, por isso faz parte da evolução espiritual.

Todo médium que não esteja concentrado deverá ficar atento na incorporação e desincorporação de seus irmãos de fé, pois é dever de todos evitar que acidentes aconteçam.

• A participação do médium nos trabalhos é muito importante no seu desenvolvimento espiritual e mental, porque é uma forma de aprendizagem e de elevação de espírito. É por isso que gostaríamos de frizar a importância da participação dos médiuns nesse desenvolvimento.

• Procure dar exemplos de paciência e desprendimento, servindo a todos com bondade e dedicação. A verdadeira vida é a do amor e do serviço. Derrame seu amor sobre todas as coisas criadas, desde a tenra plantinha até as constelações que gravitam nos espaços siderais e, sobretudo, tenha amor pelas criaturas humanas que vivem ao seu lado, como seus companheiros na jornada de trabalho.

• Não dê ouvidos às intrigas e calúnias. Só as árvores frutíferas são apedrejadas, na tentativa de derrubar seus frutos. A uma árvore estéril ninguém dá importância. A calúnia muitas vezes é uma honra para quem a recebe. Nunca pare seu serviço por causa da calúnia, se parar estará dando razão ao caluniador.

Siga em frente e todos acabarão se calando e, no final, aplaudirão o seu trabalho.

• As dúvidas que surgirem no corpo mediúnico deverão ser levadas ao conhecimento do diretor espiritual, para melhores explicações e esclarecimentos. Quando o médium souber algo a respeito de seu irmão e que o mesmo está sujeito a complicações com terceiros, deverá dirigir-se à Diretoria e explicar o fato, porque o mal se corta pela raiz.

São muitas as oportunidades que o filho de fé recebe, basta saber aproveitá-las.

A fofoca, a intriga e a calúnia não são bem quistas dentro de um terreiro, queremos sim, a disciplina.

• É dever do médium fazer banho de defesa em todos os rituais com as ervas tradicionais.

É importante sempre lembrar:

O grande perigo do médium homem é a mulher!
O grande perigo do médium mulher é o homem!

Zélio de Moraes

As Guias na Umbanda

As guias são colares de contas de porcelana, cristal ou ainda contas naturais. As guias simbolizam os Orixás nas suas cores ou as entidades. Após um processo de "cruzamento", ficam em ligação fluídica com as entidades espirituais ou os Orixás. Desviam, neutralizam ou enfraquecem os fluidos menos apreciáveis.

As guias são usadas praticamente em todo tipo de ritual, são um objeto sagrado. São específicas para cada Orixá ou entidade. Pode ainda indicar o grau do filho de fé.

Por tudo isso, o uso da guia reveste-se de uma grande importância. Normalmente, quando o filho de fé dá os seus primeiros passos dentro dos segredos da Umbanda, quando cumpre a chamada primeira obrigação a Oxalá, fica com a primeira guia, que é também a mais importante.

O filho de fé, praticamente, nunca mais deverá se separar dessa guia. Ela o acompanhará em todas as etapas de sua vida. Ela é constituída de pedras de cerâmica, o miçangão de cor branco leitoso.

Quase todas as guias dentro da Umbanda se relacionam com Oxalá, por isso é que encontramos sempre composições de cores que invariavelmente acrescentam o branco à cor original dos Orixás. Por esse motivo é que o filho de fé não usa as demais guias nas obrigações, mas somente a guia consagrada a Oxalá.

Uma guia só tem efetivamente valor quando é recebida em consequência de uma obrigação, ou quando cruzada por uma entidade incorporada. Quando é dada pelo guia, é uma proteção especial com que a entidade favorece o filho de fé. Sem isso, não passa de um adorno sem outro valor que o custo das próprias contas.

Quando são recebidas em consequência de uma obrigação, elas trazem em si o axé correspondente a cada obrigação. As guias são feitas dos mais variados materiais. Muitas são feitas com as sementes do capim-rosário. Essa mesma semente é utilizada para fazer terços. Elas são mais usadas pela corrente de entidades muito ligadas ao povo brasileiro como Baianos, Boiadeiro, etc. Aquelas com dentes indicam a presença dos Caboclos, como aquelas com cruzes e figas indicam a presença dos Pretos-Velhos.

Existem outros tipos de guias, como as feitas de madeira especial, chamada Azevim, que é originária do Norte da Europa, Ilhas Bretãs e que foi levada para a África.

Partindo desse tipo de guia, encontramos a de azeviche, um mineral africano que se presta muito bem para ser trabalhado. O azeviche tornou-se sinônimo de preto. As guias feitas com esses dois materiais não são muito práticas. Levam o emblema dos Orixás e são chamadas guias de Sete Linhas. Esses materiais são trabalhados manualmente e os emblemas são mais ou menos grandes, o que as vezes atrapalha o filho de fé. Desse mesmo modelo nasceu a guia de aço inox, que também leva os emblemas dos Orixás. Essas guias são também chamadas de guias de Ogum, por este Orixá ser o Orixá do ferro e do metal.

A maioria das guias é feita de cristal, porcelana ou plástico, sendo que este último não é indicado por não ser favorável à energia espiritual.

O cristal que é utilizado para as guias não é cristal de rocha real, mas sim um vidro mais manipulado, adquirindo certa superioridade sobre o vidro comum. O cristal tal como o vidro é um tipo de argila que, levada ao forno, por processos diferentes, se transforma em um tipo de vidro mais sofisticado. Quando possível, devem ser usadas guias de cristais naturais tais como o quartzo, ametista, etc.

Todo tipo de exteriorização por meio de guias brilhantes de pedras preciosas ou semipreciosas partiu do princípio religioso católico, que exibiam em seus sacrários, cálices e tiaras, toda exuberância de joias polidas e próprias para isso.

Dá-se preferência às guias de cristal, por serem mais naturais e quase eternas, sintetizando o axé e a força do Orixá. Na impossibilidade de utilizar tais pedras, usa-se aquilo que mais se aproxima em matéria de duração, a porcelana.

O Babalaô deve fazer a guia de cada filho de fé pessoalmente, rezando ou cantando o ponto dos Orixás.

Hoje em dia, com a vida um tanto agitada, quem faz as guias é um auxiliar direto do Babalaô, mas é ele quem deve fazer a sua preparação.

Se uma guia quebrar, deve-se procurar recuperar o máximo possível de contas e depois montá-la e consagrá-la ou cruzá-la novamente.

É importante que a guia recuperada tenha pelo menos algumas das contas originais que passaram pela obrigação, por ser de caráter indelével.

As guias não devem ser usadas a toda e qualquer hora. Nós só as usamos quando em uma festa, cerimônias especiais e nos trabalhos.

Para cuidar bem delas, devemos lavá-las de vez em quando com as águas de cada Orixá a que pertencem. Assim temos:

Iemanjá: água do mar, colhida de preferência em um lugar onde a transparência da água possa ser notada.

Oxum: água de um rio com corredeiras e que seja cristalina. Se possível procurar colhê-la em uma cachoeira.

Xangô e Iansã: águas da chuva, sendo que a de Xangô deve ser colhida durante fortes temporais e a de Iansã deve ser colhida durante chuvas mais amenas.

Nanã: água de um rio límpido e sereno correndo para o mar. Também pode ser a água de um lago tranquilo.

Ogum: de preferência as águas minerais que contenham ferro.

Oxóssi: as águas minerais não ferruginosas.

Cosme e Damião: águas da praia, desde que estejam límpidas.

Oxalá: água do orvalho da manhã que deve ser colhida nas primeiras horas, após o nascer do Sol.

Obaluaiê: as águas de grutas profundas ou as que brotam nos campos–santos.

Na impossibilidade de se colher as mencionadas águas, utiliza-se apenas água pura de mina ou água de mina que não seja ferruginosa para a limpeza das guias.

O Uso das Velas*
na Umbanda

As velas têm sido, desde os tempos mais antigos, fonte de luz e símbolo de conforto para o homem. Em função da sua importância, as velas acabaram cercadas de mitos e lendas, fato que ilustra a grande estima que tiveram.

O homem pré-histórico começou a utilizar a gordura dos animais, que ele usava para a sua alimentação, para iluminar a sua caverna. Mais tarde ele percebeu que, no inverno, essa gordura endurecia e era possível, então, utilizá-la com o uso de um pavio. Nasceu, deste modo, o que hoje conhecemos como velas.

A caça à baleia produzia uma quantidade enorme de gordura que passou a ser usada com exclusividade na confecção de velas, chamadas velas de espermacete. Com o crescimento da indústria petrolífera, passou-se a utilizar um de seus produtos, a parafina, misturado com estearina, para a confecção das velas.

A introdução das velas nos rituais religiosos deu-se quando o homem tentou afastar as trevas de suas cavernas e, iluminando-as, podia ocupar-se de render graças ao Criador por uma boa caçada ou uma colheita farta e, até mesmo, pedir auxílio, bênção ou perdão. A chama, brilhando no escuro da caverna, significava a própria presença de Deus, que nunca deixaria de existir no coração dos homens.

---

*N.E.: Sugerimos a leitura de *A Magia Divina das Velas – O Livro das Sete Chamas Sagradas*, de Rubens Saraceni, Madras Editora.

Simbolicamente, a luz sempre representou o poder do bem para a humanidade. Nos antigos mistérios da Antiguidade clássica, simbolizava a sabedoria e iluminação. A chama da vela era associada à alma imortal brilhando nas trevas do mundo. Das crenças sublimes como estas surgiu a prática de acender velas como arte mágica.

O uso das velas é um ritual simples e acessível a qualquer religioso. O único pré-requisito para o ritual com uma vela é a crença em um Criador Supremo.

As velas funcionam como agentes focalizadores da mente e auxiliam na concentração ou mentalização (lembre-se: quando você sopra as velinhas do bolo de aniversário, faz um pedido).

O uso das velas comuns, geralmente brancas, na Umbanda chegou até nós pela Igreja Católica tradicional, já que os altares católicos sempre foram iluminados por velas, destacando-se a chamada VELA DE QUARTA, que é confeccionada à mão, e que, além de conter outros produtos, contém também a cera virgem de abelha, clarificada. Esse tipo de vela é fundido graças a sucessivos banhos, que lhe dão aspecto peculiar. É ideal para qualquer trabalho e muito utilizada em obrigações.

Com a divulgação das Sete Linhas de Umbanda e as cores aplicadas a cada Orixá, houve a procura de velas nas cores respectivas. Esse fato surgiu como uma deturpação do ritual original da Umbanda, já que no Candomblé usam-se velas exclusivamente brancas e na Tenda Nossa Senhora da Piedade, sempre foram usadas apenas velas brancas.

Além desses tipos de velas mencionadas, com a finalidade de render homenagem especial a determinados Orixás e posteriormente a todos os Exus, passou-se a utilizar velas especiais, que eram praticamente cópias em cera das imagens, quer dos santos católicos, quer dos Orixás ou de seus símbolos, quer dos Exus ou de seus símbolos e derivam da magia branca católica, embora hoje utilizadas na Magia Negra.

Podemos citar como exemplo as seguintes velas: VELA ESPADA: usada para Iansã ou Ogum.

Vela na forma de ROSA: usada para vários Orixás e também para Pombagira.

Vela SETE GALHOS: usada para desmanchar, por meio de Magia Branca, trabalhos de Magia Negra. Quando nas cores preto e vermelho, são utilizadas para promover o mal.

Vela CAIXÃO: utilizada por pessoas maléficas que pretendem a morte de outra pessoa.

Vela CAVALO MARINHO: simboliza o reino de Iemanjá e é utilizada para oferendas, principalmente por mães e esposas em casos relativos a saúde e bem-estar das crianças.

Vela ESTRELA: faz parte das oferendas a Iemanjá e Oxum.

Vela MORCEGO: utilizada para entidades de baixíssima vibração espiritual.

Vela CRUZEIRO: usada para Obaluaiê em trabalhos de saúde já que é o Orixá dos pobres. Quando nas cores preto e vermelho é utilizada em trabalhos de Quimbanda.

Vela QUEBRA DEMANDA: utilizada para quebrar demandas. Ela representa a destruição do mal e o seu aspecto é o de um rosto medonho, encimado por duas velas que, quando acesas, deverão destruir essa caratonha que simboliza o mal.

Vela POMBAGIRA: utilizada em oferendas e pedidos nas encruzilhadas. É usada para promover ou desmanchar o mal.

Vela EXU: é utilizada com as mesmas finalidades da vela de Pombagira.

Para as entidades da esquerda, existem ainda a vela sapo, a vela sete encruzilhadas, a vela sete caveiras, vela de amarração, etc.

A imaginação criou, para os trabalhos de magia, velas nas mais diferentes caracterizações.

A Toalha Ritualística

A toalha ritualística, também conhecida como toalha de pescoço, faz parte dos materiais ritualísticos do médium de Umbanda. Deve ser confeccionada com pano branco, geralmente absorvente. Um tecido muito utilizado na sua confecção é o algodãozinho. A toalha deve ter de 30 a 40 centímetros de largura. Seu comprimento varia de acordo com a altura do médium, devendo, quando colocada no pescoço, atingir a cintura, dos dois lados.

Destacamos a seguir algumas finalidades da toalha ritualística:

•serve para envolver as guias.

•é usada para saudar o congá (bater cabeça).

•é usada para auxiliar no amparo ao médium, quando da incorporação (evita-se tocar diretamente o médium, principalmente quando é do sexo oposto).

•serve para envolver a cabeça do médium após a sua consagração em uma obrigação.

Quando um Babalaô ou diretor espiritual visita outro terreiro e está de branco, este convida o visitante para entrar no recinto dos trabalhos, quando então é cantado um ponto de saudação. O diretor espiritual do terreiro tira sua toalha do pescoço e passa-a para mão do visitante. Se ele a aceitar, coloca-a no pescoço e assume os trabalhos. Se ele não a aceitar, beija-a e a devolve, permanecendo na corrente mediúnica.

É necessário tomar certos cuidados com a toalha ritualística e demais roupas de trabalho, separando-as das outras roupas na hora da lavagem.

Os Patuás

"Quem não pode com mandinga, não carrega patuá", diz uma antiga expressão, hoje muito usada como sinônimo de outra que diz: "quem não tem competência, não se estabelece".

Na verdade, a busca do patuá ou talismã é feita principalmente por quem se sente inseguro e consequentemente necessitado de maior proteção.

Comete engano quem acredita que a expressão esteja se referindo a mandinga como feitiço, abô, "coisa feita", etc.

Mandinga é um grupo (ou nação) africano do norte que por sua proximidade com os árabes acabou por se tornar muçulmano e, sendo esta uma religião fanatizante, seus adeptos têm verdadeiro ódio aos que não aceitam Alá como Deus ou Maomé como seu profeta.

Com o desenvolvimento do tráfico de escravos, muitos negros mandingas vieram parar nas Américas, vítimas da ambição dos brancos. Como os negros mandingas eram muçulmanos, muitos desses escravos sabiam ler e escrever em árabe, além de conhecer a Matemática melhor do que os brancos, seus senhores.

Este estado superior de cultura de um determinado grupo negro fez com que fossem tidos como feiticeiros, passando a expressão mandinga a sinônimo de feitiço.

Por outro lado, os negros que praticavam o culto aos Orixás eram vistos como infiéis pelos negros mulçumanos. O branco, aproveitando-se dessa rivalidade e confiando aos mandingas funções superiores que aos demais, fazia a animosidade entre eles crescer. Os mandingas não eram obrigados pelos brancos a ingerir restos de carne de porco e, até mesmo, era permitido que trouxessem trechos do Alcorão encerrados em pequenos invólucros de pele pendurados ao pescoço. Geralmente, eram os mandingas quem acabavam por ocupar o lugar de caçadores de escravos fujões, os chamados "capitães-do-mato".

Por isso, quando um negro pretendia fugir, além de se preparar para lutar sem armas por meio da capoeira e do maculelê, ele deixava o cabelo carapinha e pendurava ao pescoço um patuá, de forma que pensassem tratar-se de um mandinga, para não ser perseguido. Todavia, se um verdadeiro mandinga o abordasse e ele não soubesse responder em árabe, descarregaria todo seu furor nesse infeliz negro fujão.

Daí nasceu a expressão "quem não pode com mandinga, não carrega patuá".

A vingança para quem se atrevesse a portar um falso objeto, considerado sagrado pelo muçulmano, era qualquer coisa de terrível. Mais tarde, porém, o hábito de utilizar patuás entre os negros foi se generalizando, pois estes acreditavam que o poder dos mandingas era por causa, em grande parte, dos poderes do patuá. Por outro lado, os padres também utilizavam e, o fazem ainda hoje, crucifixos e medalhas, ágnus-dei, etc., que, depois de benzidos, acredita-se que possam trazer proteção aos devotos neles representados. Na verdade, o uso do talismã perde-se na origem do tempo e confunde-se com a própria história do homem.

Nos primeiros terreiros de Candomblé, era comum o pedido de patuá por parte dos simpatizantes e, até mesmo, por aqueles que temiam o culto afro, pois se dizia que o patuá poderia, inclusive, neutralizar trabalhos de magia negra.

MAS, AFINAL, O QUE É PATUÁ?

O patuá é um objeto consagrado que traz em si o axé, a força mágica do Orixá, do santo católico ou guia de luz, a quem ele é consagrado.

Entre os católicos já era hábito usar um fragmento de qualquer objeto que houvesse pertencido a um santo ou a um papa, até mesmo fragmento de ossos de um mártir ou lascas de uma suposta cruz que teria sido a de Cristo. Até mesmo terra, que era trazida pelos cruzados que voltavam da Terra Santa e a utilizavam nos chamamos relicários, considerados poderosos amuletos, que deveriam atrair bons fluidos e proteger dos azares. O nome relicário é originário do latim *relicare* (religar), que acabou formando a palavra relíquia.

Logo, o clero percebeu que não poderia impedir o uso dos patuás pelos negros, que os tiravam antes de entrar na igreja, mas voltavam a usá-los ao afastar-se dela. Decidiram, então, substituir o patuá africano (o autêntico), que trazia trechos do Alcorão, por outro que trazia orações católicas, medalhas sagradas, ágnus-dei (uma espécie de medalha com o formato de coração, que se abre ao meio, onde se encontram as figuras de Jesus e Maria ou ainda símbolos da Igreja tradicional).

Com a formação dos primeiros templos de Umbanda e a possibilidade de um contato mais estreito com diversas entidades espirituais, as pessoas que buscavam proteção começaram a encontrar nesses objetos sagrados um apoio (era algo material que continha a força mágica vibratória da entidade que o trabalhara e que o crente poderia ter sempre consigo). A partir daí as entidades de luz passaram a orientar sua elaboração, indicando quais objetos seriam incluídos na confecção do patuá e como se deveria proceder com eles para que recebessem o seu axé, isto é, sua força mágica.

Os ingredientes geralmente mais utilizados para a confecção dos patuás são os seguintes: figas de guiné, cavalos-marinhos, olhos de lobo (raros e caros), estrela de Salomão (signo de Salomão), estrela da guia, cruz de caravaca, couro de lobo, pelo de lobo, Santo Antonio de guiné, imagens de Exu e Pombagira de guiné, pontos diversos, orações, sementes variadas, imãs, etc.

Não nos esqueçamos que essas coisas singelas não têm valor algum se não forem preparadas pelas entidades incorporantes. Somente estas podem conferir o axé ao patuá.

MODO DE PREPARAR

A pessoa reúne os ingredientes solicitados pela entidade e os leva ao templo. Quando forem cantados os pontos para as entidades e para a defumação, deve descobri-los, defumando-os.

Quando a entidade estiver incorporada, a pessoa apresenta-lhe os objetos para que ela os abençoe. Anexos, a pessoa deve levar o nome por extenso, a data do nascimento e outras informações que digam respeito a quem irá usá-lo (se possível, o nome do Orixá que rege o destino desse filho de fé, etc.). A entidade manifestada fará então o chamado "cruzamento dos objetos", seguindo a ordem em que os pediu.

Após o cruzamento (ou bênção) da entidade, os objetos são encerrados em um pequeno saquinho, preparado para recebê-los, e entregues ao filho de fé, que deverá pegá-lo pela primeira vez com a mão direita e levá-lo à altura do coração por algum tempo. Se for possível, deve transportá-lo, de preferência, junto ao coração.

PATUÁS DE EXU

Pessoas que acreditam ser muito expostas às influências negativas costumam pedir proteção às entidades de esquerda, objetos similares, mas que tenham sido consagrados por Exus e Pombagiras.

O mesmo se aplica àquelas que pretendem favores dessas mesmas entidades, às vezes escusos.

É costume procurar-se a ajuda de Exus e Pombagiras em casos amorosos e negócios comerciais, quando esses não são legais.

BANHOS – DEFUMAÇÕES – DESCARREGOS COM PÓLVORA

Quando o médium dá uma obrigação, deve tomar o banho de ervas relativas ao Orixá e, logo em seguida, defumar-se com as ervas e resinas relativas a ele.

Além dessas práticas, muitas entidades quando dão consultas no terreiro, recomendam aos consulentes ervas para banhos e também para defumações.

As ervas recomendadas variam muito, mas, via de regra, são as seguintes: guiné, arruda, alecrim, fumo, espada-de-são-jorge, espada-de-santa-bárbara, tapete-de-oxalá (boldo), samambaia do campo, alfazema, rosas brancas, etc. Geralmente, recomenda-se que o banho tenha um número ímpar de ervas. Eventualmente, pode conter sal grosso que é um elemento terra.

O banho é preparado fervendo-se as ervas em água e deixando-se depois em infusão por 15 minutos, abafando-se o recipiente (panela, por exemplo). Depois, coam-se as ervas e ele está pronto para o uso.

Antes, porém, deve-se tomar o banho normal higiênico. Logo após, joga-se a infusão de ervas por cima dos ombros, evitando-se molhar a cabeça. Espera-se que a água escorra por todo corpo e, após alguns minutos, faz-se uma vigorosa fricção com uma toalha seca. As ervas usadas devem ser despachadas em água corrente. Os médiuns devem também fazer esse tipo de banho antes de irem para os trabalhos no terreiro.

Quanto à defumação, o médium se defuma após o banho quando do período de obrigações. As defumações podem também ser utilizadas nas casas, para eliminar os maus fluidos que eventualmente ali existam. Para esse tipo de ritual, pode-se utilizar os defumadores em cubo ou defumadores que queimam em braseiro, tais como: mirra, alecrim, arruda, benjoim, incenso, alfazema, etc. Outros defumadores queimam sem brasas como o "Mãe Maria". Para a operação de defumação, utiliza-se um turíbulo ou um incensador de barro.

Tanto os banhos quanto as defumações atuam como agentes purificadores do corpo físico.

Igualmente aos banhos, o resto das defumações deve ser despachado em água corrente.

Mostraremos, a seguir, uma relação das ervas para banhos e defumações de cada Orixá, utilizados no preparo prévio dos médiuns na época das obrigações.

•COSME E DAMIÃO

Banho	Defumação
Arruda	Incenso
Alecrim-do-campo	Benjoim
Guiné	Mirra
Rosa Branca	Alfazema
Eucalipto	Alecrim-do-mato
Jurema	Açúcar
Hortelã	Cravo-da-índia

•IANSÃ

Banho	Defumação
Angélica	Incenso
Cipó-cruz	Benjoim
Carobinha	Mirra
Capim-cidrão	Alfazema
Rubi	Rosa Branca
Espinheira-santa	Pichuri ou noz-moscada
Cordão-de-frade	Anis-estrelado

•IEMANJÁ

Banho	Defumação
Angélica ou boldo	Incenso
Capim-santo	Mirra
Guiné-pipiu	Benjoim
Alfazema	Sândalo
Eucalipto	Anis-estrelado
Picão-da-praia	Rosa Branca
Alecrim-do-campo	Alfazema

• OXUM

Banho
Vassourinha
Guiné-pipiu
Alfazema
Jurema
Eucalipto
Espada-de-são-jorge
Picão-da-praia

Defumação
Incenso
Mirra
Benjoim
Alfazema
Pichuri ou Noz-moscada
Alecrim-do-campo
Patchuli

• OXÓSSI

Banho
Cipó-cruz
Cipó-caboclo
Guiné-pipiu
Jurema
Samambaia-do-campo
Eucalipto
Manjericão

Defumação
Incenso
Mirra
Benjoim
Cravo-da-índia
Alecrim-do-campo
Arruda
Alfazema

• OGUM

Banho
Cravos-vermelhos (3)
Espada-de-são-jorge
Capim-santo
Alfazema
Samambaia-do-campo
Tapete-de-oxalá
Perfume de Ogum

Defumação
Espada-de-são-jorge (seca)
Semente de Tâmara
Mirra
Incenso
Benjoim
Sândalo (pó)
Fava-africana

• XANGÔ

Banho
Samambaia
Tapete-de-oxalá
Eucalipto
Picão-da-praia
Barba-de-velho
Guiné
Alfazema

Defumação
Incenso
Mirra
Benjoim
Alfazema
Guiné
Pichuri ou Noz-moscada
Espada-de-são-jorge (seca)

•NANÃ

Banho	Defumação
Carobinha	Incenso
Capim santo	Mirra
Guiné-pipiu	Benjoim
Picão-da-praia	Alfazema ou alecrim
Alecrim-do-campo	Pichuri ou Noz-moscada
Manjericão	Cravo-da-índia
Alfazema ou Rosa Branca	Alfazema

•OBALUAIÊ

Banho	Defumação
Arruda ou Boldo	Incenso
Guiné	Mirra
Alecrim-do-campo	Benjoim
Carobinha ou Caroba	Alfazema
Estigma de milho	Rosa Branca
Capim-santo	Cravo-da-índia
Cipó-cruz	Pichuri ou Noz-moscada
Azeite de dendê (2 colheres)	
Pipoca estourada no azeite dendê	

OBS.: Quando se usa espada-de-são-jorge nos banhos, deve-se cortá-la em sete pedaços e reservar um deles para cada banho.

DESCARREGOS COM PÓLVORA

O culto ao fogo surgiu na Antiguidade desde que o homem descobriu suas propriedades, iluminando as noites, aquecendo as cavernas e afugentando as feras. No Egito, na Grécia ou em Roma, as vestais sacerdotisas eram encarregadas de zelar pela chama sagrada.

Quando se queima a pólvora, procura-se combater as forças contrárias pela luz, explosão, agindo como veículo de limpeza. Além disso, a queima de pólvora provoca um brusco deslocamento de ar que atinge o corpo astral dos obsessores, afastando-os da pessoa obsedada.

Na queima ocorre ainda um desprendimento de enxofre que, desde os tempos mais remotos, é utilizado para afastar as forças negativas do mal.

O Amaci

Por ser o único que pode ser depositado na cabeça do filho de fé, o banho de amaci reveste-se de excepcional importância.

Deve ser preparado somente por pessoa que esteja realmente capacitada a fazê-lo, ou seja, por um pai espiritual ou por um babalorixá, ou por uma mãe espiritual ou uma ialorixá, que tenham cumprido com todas as obrigações ritualísticas, que estejam devidamente preparados de corpo e alma – uma pessoa doente, irada, ou que esteja há muito tempo afastada de suas atribuições no templo, que não pratique regularmente a incorporação, não está em condições de preparar o amaci –, e que conheçam bem as plantas essenciais para sua preparação.

Para prepará-lo corretamente é absolutamente necessário que pelo menos uma das plantas encontradas, ou relativas a cada reino de cada Orixá, esteja presente.

Antes de aprender a fazê-lo, a pessoa precisa saber o que é um banho de amaci. Em que consiste?

Amaci é um dos muitos banhos lustrais usualmente utilizados na Umbanda. Ele é constituído por ervas e flores colhidas recentemente, que estejam ainda vivas, para transmitirem à infusão as sua vibrações em toda sua plenitude. Sua preparação é um ato sagrado e deve ser acompanhada de cânticos e rezas, também chamados de "ingorossis".

É utilizado sempre que é preciso transmitirmos forças a alguém necessitado. É também utilizado no ritual do batismo e em outras consagrações, tais como limpeza de vibrações negativas. É o mais ativo e elaborado de todos os banhos e nunca poderá ser cozido.

ROL DAS PLANTAS E FLORES NECESSÁRIAS

- Pétalas de rosas brancas (quanto mais, melhor);
- Sete brotos de tapete-de-oxalá (também conhecido como boldo-do-chile);
- Sete palmas amarelas (utilizar apenas as pétalas);
- Sete espadas-de-santa-bárbara (preferivelmente tenras);
- Sete rosas cor-de-rosa (apenas as pétalas). Na falta, ou como complemento, flores cor-de-rosa, como as usadas na obrigação a Cosme e Damião;
- Musgo colhido à beira do rio ou lago, guapé ou aguapé;
- Erva-de-santa-luzia, vitória-régia e outras espécies de plantas aquáticas de água doce. Usar o que for possível. Se conseguir todas, melhor;
- Sete punhados de algas marinhas, encontradas junto a pedras à beira-mar;
- Flores azuis, usadas para Iemanjá;
- Sete folhas novas de samambaia-de-caboclo. Essa planta tem as folhas largas e, normalmente, é usada nas floriculturas para completar buquês de flores. Se possível, usar também flores tenras de outras espécies de samambaia e também cipós;
- Selecionar as melhores pétalas de sete cravos vermelhos;
- Sete espadas-de-são-jorge (tenras) e ou sete-lanças-de-são-jorge;
- Orquídeas rosas ou marrons, se possível colhidas nas pedras da serra; ou então, usar sete lírios brancos;
- Brotos de erva-de-xangô;
- Sete violetas, ou sete maços de violetas (apenas as pétalas);
- Flores roxas, gloxínias, etc.;
- Sete cravos-de-defunto (flores) ou qualquer tipo de cravo, exceto o vermelho;
- Sete brotos de arruda;
- Sete brotos de guiné.

Modo de Preparar

É aconselhável que, ao lavar as pétalas antes de iniciar a preparação, o pai espiritual as separe para facilitar essa parte do trabalho. Colocando-as em alguidares pequenos ou ainda em pratos de louça pela ordem, bastará que um ogã as passe para o pai espiritual, à medida que forem necessárias.

A cada Orixá invocado ou a cada erva macerada, o pai espiritual, sempre assistido por um ogã, irá acendendo uma vela correspondente, principiando por uma vela de quarta para Oxalá. As outras velas, se não puderem ser de quarta, poderão ser de sete dias.

Quando todas as ervas estiverem bem maceradas e depositadas na água, serão transferidas para um quartilhão, que também deverá ser limpo, incensado ou defumado previamente.

Após colocar o quartilhão defronte ao congá, o pai espiritual deverá transferir o amaci ainda bruto para aquele, no qual permanecerá durante sete dias para clarear. (Período em que deverão permanecer sempre pelas velas ofertadas aos Orixás).

Depois desse prazo, o pai espiritual filtra o amaci e, depois de limpar devidamente o quartilhão, devolve-o a este, podendo, se assim o desejar, acrescentar um pouco de essência ou óleo de flores para aromatizá-lo, o que é sempre benéfico, pois sendo um produto oleoso, cria uma película sobre o banho, impedindo o contato com o ar ambiente e, consequentemente, preservando-o. Também se pode, para maior facilidade, embalar o amaci pronto em pequenos vidros ou quartinhas, embora essa prática fuja um pouco do ritual.

EXPLICAÇÕES NECESSÁRIAS

Também é chamado de amaci do Orixá o banho feito no reino natural da divindade. Exemplo: lavagem de cabeça na cachoeira é chamada de amaci natural de Oxum; na água do mar, amaci natural de Iemanjá; e assim por diante.

Se a pessoa quiser fazer um amaci apenas de um Orixá, mas preparado como o amaci das sete linhas, basta utilizar apenas o que for devido a Oxalá e a esse Orixá.

DESENVOLVIMENTO

Depois de selecionar as folhas, os brotos e as pétalas que serão utilizados, o pai espiritual deve separá-los pela ordem decrescente das linhas da Umbanda.

Não se deve usar qualquer água na lavagem das ervas, mas, sempre que possível, apenas a água correspondente a cada Orixá, principalmente Oxalá. Na total impossibilidade de se conseguir as águas antes descritas, usar águas de mina, de cachoeira, de um regato de águas límpidas ou outra colhida de forma natural e que não tenha sido tratada ou industrializada, como, por exemplo, a água mineral engarrafada. Também pode ser utilizada água do mar, todavia, por ser salgada, tende a impedir a fermentação natural do amaci, tornando-a mais lenta.

As águas deverão ser colhidas, sempre que possível, pelo próprio pai espiritual ou por um ogã de sua inteira confiança. A cerimônia tem caráter sagrado, por isso, o pai espiritual deverá estar vestido de branco diante do congá e auxiliado por pessoas do seu corpo mediúnico, obedecendo a todos os preceitos usualmente necessários para a abertura normal de um trabalho.

NOTA IMPORTANTE

Nunca se realiza trabalho espiritual ou doutrinário quando se prepara o amaci ou o abô. Todo o corpo mediúnico deve se dedicar apenas a esse trabalho.

Diante do congá, o pai espiritual deverá colocar uma bacia de louça ou ágata (ferro esmaltado) que, depois de limpa e defumada, abrigará, pela ordem, as águas dos diferentes Orixás. Elas serão utilizadas para a lavagem das ervas, o que deverá ser feito cuidadosamente, sem misturá-las nem machucá-las.

Feito isso, o pai espiritual dará início à cerimônia de preparação do amaci, despachando a água utilizada na lavagem e tornando a limpar e defumar a bacia.

Quando visitamos a cabana de Pai Antonio, tivemos a oportunidade de participar de uma cerimônia de amaci. Essa cerimônia anual tem a finalidade de purificar os médiuns e consistiu no seguinte: cada médium colheu na mata uma ou mais folhas, de acordo com a sua intuição. Depois de abertos os trabalhos, o Caboclo Sete Flechas incorporou em dona Zélia de Moraes e sentou-se em frente de uma "cama" feita com folhas de mangueira. O caboclo recebeu as folhas de cada médium e as macerou em uma bacia de ágata contendo os curiadores dos Orixás e água de cachoeira.

Um a um, os médiuns foram se deitando, com a cabeça voltada para o caboclo que as "lavou". Logo em seguida, cada um incorporou o seu Caboclo para o complemento da limpeza espiritual.

Após a desincorporação, os médiuns lavaram suas cabeças na cachoeira, porém, antes disso, foi feito um descarrego com pólvora dentro do terreiro. Toda a cerimônia do amaci na cabana de Pai Antonio foi acompanhada pelos pontos cantados.

O Abô

ROL DAS ERVAS NECESSÁRIAS

Arruda, guiné ou guiné-pipiu, espada ou lança-de-são-jorge, espada-de-santa-bárbara, alecrim, jurema, capim-rosário, erva-de-são-joão, erva-de-santa-luzia, carobinha (é conveniente colocá-la um pouco a mais do que as outras ervas), pinhão-roxo, vassourinha ou alecrim-do-campo, cravo-da-índia, umbaúba, dandá-da-costa ou junçá, erva-de-xangô, manjericão, alfazema e pichuri. Sete sementes de obi; Sete sementes de orobô.

Modo de fazer

Todo pai espiritual deve ter um pilão, de preferência côncavo dos dois lados, para pilar de um lado as ervas verdes, e de outro, as secas.

Como na cidade é difícil achar todas as ervas verdes necessárias, podem-se comprar as que faltarem em casa especializada.

São socadas em primeiro lugar as ervas verdes até que se transformem numa pasta homogênea. Deverão ser despejadas sobre um pano branco e espremidas sobre um alguidar para retirar todo o suco que for possível. Em seguida, coloca-se esse suco em um pote de barro com capacidade para 15 ou 20 litros (ou em um quartilhão de 50 a 60 litros, caso o número de filhos do terreiro seja muito grande; nesse caso, deve-se dobrar ou triplicar a quantidade de ervas também, sempre em volume compatível umas com as outras). As que forem sementes deverão ser reduzidas a pó antes de serem socadas com as outras ervas secas.

Depois disso, despejam-se esses resíduos secos dentro do pote ou quartilhão, o qual deve estar cheio até a boca com água de cachoeira, bica, etc, desde que seja natural, límpida e guardada em vasilhame de louça, vidro, etc. Esse líquido ficará em descanso durante 21 dias para a fermentação efetivar-se.

Deve-se manter o pote iluminado durante todo o tempo e, para isso, emborca-se a tampa sobre o local e acendem-se sobre ela velas de sete dias ou mesmo de quarta. O importante é manter a chama acesa durante todo o período de preparação do abô.

Terminada a preparação, filtra-se a água do banho. Depois da primeira filtragem, deve-se passá-la em coador de papel para que fique livre de impurezas menores. Se o pai espiritual desejar, pode colocar alguma essência para melhorar o cheiro e é até aconselhável, pois a essência, sendo um elemento oleoso, formará sobre a água uma película que conservará por muito mais tempo esse líquido.

Feito isso, limpa-se muito bem o pote e coloca-se novamente o líiquido que ali foi curtido.

A proporção para cada banho é de aproximadamente um litro de abô para dois litros de água quente. Havendo possibilidade, deve-se deixar o pote em frente ao congá. Na falta deste, em um lugar sossegado, onde a pessoa possa orar com tranquilidade.

Depois de filtrados, os resíduos devem ser despachados na mata o mais breve possível. As ervas verdes devem ser jogadas, de preferência logo após a maceração. Se não houver possibilidade, junta-se tudo para o despacho.

Se o pote tiver 20 litros de capacidade, ao fim de 21 um dias e depois de filtrado, ficará apenas com oito litros de banho, já que o barro favorece a evaporação.

Ao preparar o banho de abô, o pai espiritual deve estar vestido de branco e fazer com antecedência a sua preparação espiritual e material. Durante o trabalho, deve sempre orar e durante os 21 dias também deverá orar várias vezes em frente ao pote. A prece é muito importante para os umbandistas, eles devem utilizá-la sempre que for possível.

Há outra maneira de fazer o banho de abô, caso haja muita pressa na sua utilização. Em vez de 21 dias de preparação, deixamos por sete dias e, ao fim destes, ferve-se o banho contando uma hora após levantar fervura.

O cozimento deve ser feito em vasilha de barro. Depois, procede-se da forma anterior. Isso é feito em caso de necessidade.

O pote que foi usado para fazer um abô será utilizado para este fim várias vezes, não havendo necessidade de comprar um para cada vez. Este deve ser testado antes de usado, para verificar se está perfeito e sem rachaduras que possam invalidar todo o trabalho, com perda muito grande de líquido.

Quando se assenta o pote para a preparação, deve-se colocar um prato de louça ou qualquer proteção embaixo para não manchar o chão.

Quando se toma o banho de abô, deve-se deitar na esteira e relaxar o corpo ao máximo, pelo período mínimo de três horas, em quarto escuro, apenas com uma vela de quarta em um alguidar com água de cachoeira ou natural na cabeceira do filho de fé.

O BANHO DE ABÔ DEVE SER TOMADO:

•quando o filho de fé está excessivamente carregado de negatividade;
•quando uma pessoa procura o terreiro e não encontra solução para seus problemas por causa dessa mesma negatividade, que impede as entidades de luz de acharem o "fio da meada". Nesses casos, quando a pessoa for tomar o banho, deve fazer o pedido para que tal possa acontecer;
•quando o médium apresenta problemas na incorporação, por um ou outro motivo;
•quando a entidade da esquerda começa a manifestar-se em primeiro lugar;
•quando uma pessoa participa de um funeral e sente que se carregou de negatividade. Nesse banho, é bom acrescentar sal grosso, não no pote, apenas no banho.

Existem outros banhos de descarrego mais fáceis de preparar e cada um para ocasiões específicas, sem que seja necessário o banho de abô. O uso desses banhos, ou de obrigações, é útil porque, às vezes, liberam do nosso íntimo coisas que nós mesmos condicionamos e aprisionamos. Essa libertação é boa, pois amiúde nós encontramos por meio dele a solução para nossos problemas, o que em outra situação não perceberíamos.

As entidades utilizam-se do sonho para transmitir mensagens que julguem necessárias, dependendo da ocasião.

Apesar de todas as ervas usadas no banho de abô, a essência de quase tudo ou 50% da eficiência daquilo que ele vai representar está assentada nas sementes de obi e orobô. Tudo o mais serve como neutralizante, conservante, etc. As ervas agem individualmente em cada célula do corpo humano, além de limpar a aura espiritual.

No Candomblé, também se usa colocar no banho de abô um pouco do sangue do animal sacrificado ao Orixá. O banho, então, passará a denominar-se banho de abô de Oxalá, se o animal pertencer a este Orixá e assim por diante: Ogum, Iansã, etc.

Com a fermentação das ervas que não são despachadas em água corrente mais o sangue, esse banho, além de um mau cheiro enorme, tem o inconveniente de criar vermes, já que tudo ali é propício a essa germinação e proliferação.

No Candomblé, muitas vezes, faz-se com que as pessoas que estão na camarinha, além do banho, bebam essa água. Outro pormenor: o banho de abô não é coado para ser tomado, é natural.

O ideal seria se cada um pudesse plantar e cuidar das plantas necessárias aos banhos dos filhos de fé.

O pai espiritual do Candomblé, por ter mais tempo, cuida da roça e todas as suas ervas são usadas bem verdes, colhidas na hora certa, sendo bem mais fácil de fazer, já que ele tem tudo em seu terreno.

PEMBA – PEMBA PILADA

O valor magístico de um ponto riscado é muito grande na Umbanda. Para o leigo, o ponto riscado é apenas uma identificação para determinada entidade. Já para o umbandista, o ponto riscado tem outro significado. Para ele, é um instrumento de trabalho para os rituais magísticos efetuados pelas entidades.

O instrumento utilizado para riscar os pontos é a PEMBA. A pemba é confeccionada com calcário e modelada em formato ovóide-alongado. Costuma-se dizer que não pode existir um Terreiro de Umbanda sem o testemunho dela.

A PEMBA PILADA

A pemba pilada é utilizada para evitar incorporações indesejadas, limpar o ambiente, criar melhores condições de trabalho.

MATERIAL NECESSÁRIO

- Pemba branca;
- Mirra;
- Incenso;
- Benjoim;
- Alfazema;
- Anis-estrelado;
- Pichuri;
- Dandá ou junçá (opcionais).

MODO DE PREPARAR

Coloca-se a pemba, a mirra, o benjoim, a alfazema, o incenso, o anis-estrelado e, se desejar, o dandá ou junçá dentro de um pilão bem limpo.

À parte, raspa-se a semente de pichuri, acrescentando-a ao restante do material, que já se encontra dentro do pilão. Recomenda-se raspar o pichuri, pois é oleoso e, se não for feito assim, ele se transformará em uma massa de difícil manuseio.

Soca-se tudo até transformar todo o material em um pó fino e branco. Há um modo característico para socar o pilão: levanta-se a mão do pilão até uma certa altura, dentro da boca, e solta-se, com um pouco de força, fazendo com que a mão do pilão raspe o lado e atinja o fundo lateralmente.

Enquanto se está socando o material, a tendência é que este suba pelos lados. Deve-se empurrá-lo para baixo, utilizando uma colher de pau. Quando tudo estiver reduzido a pó, peneira-se para que fique o mais fino possível. Isso pode ser feito em peneira de seda ou mesmo em peneira de náilon bem fina.

Para que a pemba fique bem elaborada, o ideal é que a pessoa que a prepara não a toque de forma alguma. Deve-se pegá-la com uma colher de pau para colocá-la na peneira e usar a mesma colher para acondicioná-la em uma cuia com tampa ou em algum outro recipiente (de louça, de preferência). Se não houver nada disso, a pessoa deve utilizar uma cumbuca com tampa ou cobri-la com uma toalha.

Quando se limpa o pilão após a preparação da pemba, o pai espiritual, para provar a seus filhos de fé que o produto foi bem feito, costuma passar a mão direita no pó que sobrou no pilão e passar em sua própria cabeça, para que não fique dúvida quanto à qualidade do material obtido.

É importante que, enquanto durar a cerimônia, os filhos de fé da casa acompanhem o pai espiritual, cantando pontos de Oxalá ou ingorossis.

Depois de pilada e peneirada, a pemba deve permanecer diante do congá, iluminada por uma vela de quarta, pelo menos durante 12 horas. Os filhos de fé também podem passar sua mão no pilão para ajudar a limpá-lo.

Uma limpeza mais apurada do pilão pode ser feita, com os devidos cuidados, usando-se palha de aço.

A pemba pilada é utilizada geralmente pelo pai espiritual, que a coloca na palma de sua mão direita e a sopra nos cantos do terreiro ou em outros recintos.

Relação do Material que o Médium Deve Ter Sempre à Mão

- Toalha ritualística;
- Turíbulo ou um incensário de barro;
- Guias relativas às entidades e aos Orixás (guias de obrigações);
- Pembas diversas;
- Velas de diferentes tipos e cores;
- Quartinhas com água pura (de cachoeira, de mina, de bica, etc) e água do mar;
- Defumadores (Mãe Maria, Espiritual, Abre Caminho, Quebra Demanda, etc.);
- Mel, dendê, cerveja, vinho tinto, vinho branco, marafo, champanhe, perfume, etc;
- Alguidares para velas de quarta, lavagem de guias, amaci, etc;
- Cigarros, charutos, fumo para cachimbo;
- Guias de miçanguinhas de várias cores;
- Banho de abô;
- Amaci;
- Sal grosso;

- Arruda, guiné, alecrim, alfazema, mirra, incenso, benjoim, pichuri e outras ervas e resinas;
- Banquinho para Preto-Velho;
- Fósforos;
- Fitas de várias cores;
- Algumas fundangas de pólvora.

Pontos Riscados

O valor mágico de um ponto riscado é muito grande na Umbanda. Para o leigo, o ponto riscado é apenas uma identificação de determinada entidade. Já para o umbandista, o ponto riscado tem outro significado que não apenas este. Para ele, o ponto é um instrumento para os trabalhos mágicos efetuados pelas entidades.

O instrumento utilizado pela entidade para riscar o ponto é a pemba. O escritor Oscar Ribas nos diz que o termo pemba é de origem quimbunda. "Pemba, termo quimbunda; de *kubembula*: apartar. Alusão à destruição de qualquer malefício. Possui largo emprego na Umbanda, servindo para as caracterizações que, obrigatoriamente, se executam nos lugares concernentes à liturgia, a fim de se abrirem os caminhos, ou seja, atrair a graça dos espíritos".

Cada entidade tem o seu ponto riscado característico, além daqueles que estas utilizam para determinados trabalhos. Para os Orixás, utilizam-se pontos de ordem geral que podem sofrer variações de terreiro para terreiro de acordo com as necessidades. A seguir, mostramos alguns desses pontos ou representações:

•**OXALÁ**: Toda forma de representar a presença da luz.

•**IANSÃ**: A taça e o raio.

•**COSME E DAMIÃO**: Carrinhos, pirulitos, brinquedos em geral, bonecos e palhaços, etc.

•**IEMANJÁ**: A estrela, a âncora, as ondas, etc.

•**OXUM**: A Lua, o coração, etc.

•**OXÓSSI**: A flecha e o arco.

- **OGUM**: A espada, a lança, a bandeira usada pelos cavaleiros, vários instrumentos de combate.
- **XANGÔ**: O machado.
- **NANÃ**: O iberi ou uma chave.
- **OBALUAIÊ**: O cruzeiro das almas.

Oxalá   *Ogum*   *Oxóssi*

Xangô   *Obaluaiê*   *Iemanjá*

Oxum   *Iansã*   *Nanã*

Figura 13: Pontos de ordem geral dos Orixás.

Pontos Cantados

Os pontos cantados, com suas letras singelas, são formas de oração que se entoam nos trabalhos de Umbanda, com a finalidade de se obter uma harmonia de vibrações com as entidades que se manifestam nos terreiros e também com os Orixás. Existem ainda os pontos cantados para trabalhos específicos, como pedidos de proteção, descarregos, etc.

A maioria dos terreiros possui um grupo de pessoas que formam a chamada curimba, que comanda os pontos cantados. Muitas dessas curimbas possuem os atabaques, agogôs e outros instrumentos musicais. Esses instrumentos foram introduzidos quando o elemento negro começou a frequentar os terreiros de Umbanda (no início do século após a libertação dos escravos), já que são instrumentos utilizados nos cultos africanos, inclusive nos candomblés.

Na Tenda Nossa Senhora da Piedade (o berço da Umbanda), os pontos sempre foram cantados sem a utilização desses instrumentos, inclusive sem as palmas, com o ritmo marcado com os pés no chão de madeira.

Para que se tenha uma ideia da importância dos pontos cantados, na Tenda Nossa Senhora da Piedade, entoam-se pontos desde o início até o fim dos trabalhos.

João Severino Ramos, dirigente da Tenda São Jorge, fundada por ordem do Caboclo das Sete Encruzilhadas, escreveu em 1953 o livro *Umbanda e Seus Cânticos,* no qual fez um levantamento sobre os pontos mais cantados na Tenda Nossa Senhora da Piedade e suas filiadas. Vejamos suas palavras:

Os pontos cantados da Umbanda são verdadeiras preces. Provocam vibrações mentais homogêneas que se aglutinam e formam uma corrente fluídico-magnética propícia à eficiência maior dos trabalhos experimentais.

Como hino ou evocação, os pontos podem ser de atração ou afastamento; de alegria ou de luta; de festa ou de demanda, etc. Sua finalidade é, porém, sempre, a de reunir, homogeneizar pensamentos.

Como resgate histórico, apresentaremos alguns desses pontos que são muito cantados pelos milhares de terreiros de Umbanda espalhados pelo Brasil e outros países. Alguns desses pontos sofrem algumas alterações de terreiro para terreiro.

PONTOS DE OGUM

Beira-mar, auê, Beira-mar
Beira-mar quem está de ronda é militar!
Ogum já jurou bandeira
Na ponta de Humaitá
Ogum já venceu demanda
Vamos todos saravá!

Ogum Iara, Ogum Megê
Olha Ogum Rompe Mato, auê!
Ogum Iara, Ogum Megê
Oi cangira de Umbanda, auê!
Capitão-do-mato mandou me chamar
Tempo não tenho, caminhos há
Olha o militar, quem está de ronda é militar!

Olha Ogum está de ronda
Miguel está chamando
Eu não sei onde é é é
Oi me diz onde é é é
Oi pombinha de fé é é é
Oi me diz onde é é é

PONTOS DE OXÓSSI

Eu corri terra, eu corri mar
Até que cheguei em meu país
Ora viva Oxóssi na mata
Que a folha da mangueira
Ainda não caiu!

A mata estava escura
E um anjo alumiou
No seio da mata virgem
Quando Oxóssi chegou
Ele é rei, ele é rei, ele é rei!
Ele é rei, na Aruanda ele é rei!

Com tanto pau na mata
Eu não tenho guia
Caboclo Araraguaia
Vai buscar a guia!

Corta língua, corta mironga
Corta língua de falador

Mas ele é capitão da Marambaia
Mas ele é capitão da Marambaia
Mas ele é capitão da Marambaia
Mas ele é seu Oxóssi na Arucaia!

Caboclo Roxo da cor morena
O seu Oxóssi é caçador lá da Jurema
Ele jurou, e ele jurará
Pelos conselhos que a Jurema veio dar!

Na bamba eu vai atirar!
Atira, atira, eu atirei!
Veado no mato é corredor
Oxóssi na mata é caçador!

Ele é caboclo, ele é flecheiro
Bumba na calunga
É matador de feiticeiro
Bumba na calunga
Quando vai firmar seu ponto
Bumba na calunga
Ele vai firmar é lá na Angola
Bumba na calunga

Pontos de Xangô e Santa Bárbara

Lá do alto da pedreira
A faísca vem rolando
Aguenta essa gira de força
Que a faísca vem queimando!

Eu vi Santa Bárbara e Xangô-ô!
A trovoada roncou lá no mar!
Olha a mujinga de congo-ê-ê-ê!
Olha a mujinga de congo-ah-á-á!

Lá atrás daquela serra
Há uma linda cochoeira
Onde mora Xangô
Que arrebentou sete pedreiras!

Eu vi Santa Bárbara e Xangô
Sentados em cima da pedra
Olham seus filhos que vão pra guerra!
Olham seus filhos que vão pra guerra!

Pontos do Povo do Mar

Hoje é dia de Nossa Senhora
Da nossa mãe Iemanjá!
Oh! luna hê-ê-ê!
Oh! luna ah-á-á-á!
Brilham as estrelas no céu
Brincam os peixinhos no mar!
Oh! luna hê-ê-ê!
Oh! luna ah-á-á-á!

Oh! Nanã cadê Oxum
Oxum é das ondas do mar
Ela é dona do congá
Salve Oxum, Nanã!

Quem quer me ver sobre a terra
Quem quer me ver sobre o mar
Sou a Cabocla Jandira
Sou a sereia do mar!
Ei-uei-uei!
Ei-uei-uei! ah!

Ei-uei-uei!
Jandira!

Caboclo, caboclo
Das ondas do mar
Quero ver esta demanda
Que caboclo vai ganhar!

Pontos de Pretos-Velhos

Pinto piou na calunga
Galo cantou lá na Angola
Olha Congo que vem de Carangola
Trazendo miçangas em sua sacola
Olha Congo que vem de Carangola
Botando os inimigos de porta pra fora!

Pai Joaquim, êh! êh!...
Pai Joaquim êh! ah!...
Pai Joaquim vem lá da Angola
Pai Joaquim é de Angola, Angola!

Bate na cumbuca
Repenica no congá!
Chega meu povo
E vamos trabalhar!

Pontos de Oxalá

Oxalá, meu Pai!
Tem pena de nós, tem dó
A volta do mundo é grande
Seu poder ainda é maior!

Saravá sua banda! Saravá seu congá!
E São Salvador e meu Pai Oxalá!

Pontos de Cosme e Damião

São Cosme e São Damião
Sua Santa já chegou
Vem lá do fundo do mar

Que Santa Bárbara mandou!
Dois-Dois, Sereia do Mar
Dois-Dois, Mamãe Iemanjá
Dois-Dois, Sereia do Mar
Dois-Dois, meu Pai Oxalá!

A estrela e a Lua
São duas irmãs
Cosme e Damião
Também são irmãos
Estrela! Estrela!
A estrela e a Lua
São duas irmãs
Cosme e Damião
Também são irmãos!

Pontos de Exu

É Exu! Ora pisa no toco, ora piso no galho!
Ora pisa no toco, ora pisa no galho
Segura a macumba, mas eu não caio oh! ganga!

A bananeira que eu plantei à meia-noite
E que deu cacho à beira do terreiro!
Eu quero ver esse cabra que é maluco
Que risca ponto contra feiticeiro!

Exu! Exu!
Oh! diz Exu da encruzilhada!
Exu! Exu!
Sem Exu não se faz nada!

Na porteira de Belém
Já bateu um sino só
Olha lá meu galo preto
Vai bater no carijó!

Ponto de Abertura

Eu vou pedir licença a Deus
Para abrir esta Aruanda
Diz Santo Antonio corre Umbanda
São Benedito vem correndo!

PONTO DE ENCERRAMENTO

Eu vou pedir licença a Deus
Para encerrar esta Aruanda
Diz Santo Antonio corre Umbanda
São Benedito vem correndo!

PONTOS DE DESPEDIDA

Cadê a sua pemba
Cadê a sua guia
Sua terra é muito longe
Seu congá é na Bahia
Cadê a sua pemba
Cadê a sua guia
Seu Baiano vai embora
Vai daqui para a Bahia

Preto-Velho vai embora
Vai subindo para o céu
E Nossa Senhora
Vai cobrindo com véu

Já foi o Sol
Já vem a Lua
Eu vim girar!
Eu vim girar!
Na Linha de Umbanda
Eu vim girar!
Já vem o Sol
Já vem a Lua
Eu vou girar
Eu vou girar
Na encruzilhada
Eu vou girar

É de có có có minhas cambonos
O galo já cantou minhas cambonos
Ao romper da aurora minhas cambonos
Todos os caboclos vão oló minhas cambonos

A sua mata é longe
Eles vão embora
E vão beirando o Rio Azul!
Vem Umbanda
Os caboclos vão embora
E vão beirando o Rio Azul!

Pontos Diversos

Eles são três caboclos
Caboclos do Jacutá
Eles giram noite e dia
Para os filhos de Oxalá!

Sete mais sete, com mais sete, vinte e um
Saudamos os três setes, todos três de um a um
Sete montanhas gira quando a noite vai virar
Seu irmão Sete Lagoas quando o dia clarear!
E ao romper da aurora
Até alta madrugada
Gira o Caboclo das Sete Encruzilhadas!

Baixou, baixou
A Virgem da Conceição
Maria Imaculada
Para tirar perturbação!
Se tiveres pragas de alguém
Desde já sejas perdoado
Levando pro mar ardente
Para as ondas do mar sagrado!

Tum, tum, tum, bateu na porta
Tum, tum, tum, vai ver quem é
Meu pai era caboclo
Ora vamos saravá lá no congá
Oi! Meu pai era caboclo
Ora vamos saravá no congá!

Bota fogo no mato
Chama, chama que ele vem
É bacuro de Umbanda
Quem tem dendê, quem tem dendê!

Abre a porta oh! gente
Quem aí vem Jesus
Ele vem cansado
Com o peso da cruz
Vem de porta em porta
Vem de rua em rua
Jesus de minha alma
Sem culpa nenhuma!

Corre Ganga no conguê
Corre Ganga no congá
Quem não pode com a macumba
Não carrega patuá!

Obrigações na Umbanda

As obrigações são atos litúrgicos, ritualísticos ou oferendas, que o filho de fé "SE OBRIGA" a efetuar, com relação a determinado Orixá ou Guia Espiritual, visando a conseguir determinado objetivo.

Dentre as obrigações, podemos destacar as três principais:

O primeiro tipo de obrigação é muito usual na Umbanda e é realizado pelas pessoas que pedem ajuda espiritual junto a uma determinada entidade. Esta entidade informa, então, qual obrigação a pessoa deve realizar para alcançar o seu pedido.

O segundo tipo é aquele que realizamos em consequência de algum trabalho maligno que nos tenha sido "mandado". A entidade que o promoveu determina a obrigação que deve ser efetuada para neutralizar o trabalho anterior. Uma outra entidade, que não aquela, pode determinar a obrigação a ser cumprida.

O terceiro tipo de obrigação é o devotado ao Orixá. É o mais complexo, pois exige um sacrifício maior da parte de quem dá a obrigação. Esta é dada pelos médiuns que almejam o sacerdócio umbandista ou por aqueles que desejam uma melhor firmeza nos trabalhos ou ainda uma melhor relação com os seus Orixás. Exige um conjunto de práticas religiosas que requerem, por parte do médium, um desprendimento e uma dedicação muito grandes.

Nessas obrigações, o médium deve manter abstinência de carne (inclusive peixe), álcool e sexo por sete dias, para que possa manter vibrações originais e uma maior harmonia com o Orixá. Além disso, essas abstinências propiciam ao médium uma desintoxicação e, consequentemente, uma purificação do seu organismo, favorecendo ainda a força de vontade.

O médium deve os abster se de sexo não porque seja "pecado" e sim porque em um relacionamento sexual existe a troca de vibrações e humores que persiste durante algum tempo e altera a vibração original dos participantes.

O médium deve, ainda, abster-se da incorporação, para que não reste a vibração da entidade manifestante. Deve evitar comparecer a hospitais, velórios, enterros e ao próprio terreiro onde trabalha, para que não absorva vibrações estranhas à sua própria.

Nos seis dias que precedem a obrigação, o médium deverá, antes de se deitar, fazer o seu banho de higiene e, logo após, o banho de ervas que varia conforme o Orixá. Em seguida, o médium deve se defumar com ervas e resinas concernentes a cada Orixá. No dia da obrigação, o médium deverá também fazer o banho e a defumação antes de sair para o local em que esta se realizará. As ervas resultantes dos banhos e os restos das defumações devem ser despachados na mata.

A obrigação relativa a Oxalá é a mais simples e é o que nós chamamos de batismo do médium. Nela, a abstinência é de três dias, utilizando o banho industrializado e fazendo-se a defumação apenas no local do ato litúrgico.

Após o banho e a defumação, o médium se deitará na esteira e ficará sozinho no quarto. O uso da esteira deve-se à tradição, pois, no passado, a quase totalidade da população pobre do país (principalmente os escravos) dormia em esteiras. Até mesmo Jesus dormia em esteiras conforme relata a Bíblia Sagrada:

A Sagrada Família vivia modestamente, mas confortavelmente. A casa pequena e sólida, provavelmente tinha poucos quartos. O mesmo cômodo servia de sala de jantar durante o dia e, à noite, esteiras eram colocadas no chão, convertendo-o em dormitório da pequena família. (Texto extraído do encarte da Bíblia Sagrada – Edição da Enciclopédia Barsa).

Usamos normalmente esteiras de taboa, que são confeccionadas com múltiplos talos secos dessa planta aquática e que, por conter ar em suas células, constituem um excelente material isolante e, ao mesmo tempo, relativamente confortável.

Nessas obrigações, o médium deverá ter muito cuidado com o material que será ofertado, procurando, dentro de suas possibilidades, oferecer o melhor possível, o mais limpo e o mais bem confeccionado, variando conforme o Orixá.

A obrigação será disposta em uma toalha confeccionada nas cores do Orixá e tendo o seu ponto desenhado. Na obrigação a Oxóssi, a toalha é substituída por uma folha de taioba ou costela de Adão; na obrigação à Iemanjá, a toalha é substituída por um barquinho e na obrigação a Oxum, não há toalha, sendo utilizado o alguidar usado para recolher os axés do batismo e que foi guardado pelo médium.

A obrigação será sempre oficiada pelo Babalaô, secundado pelos ogãs. Antes de cada obrigação é dado o "Paô" a Exu, para que não haja qualquer interferência negativa. No Paô, o Babalaô oferece uma garrafa de "marafo" e um charuto, em um local de terra previamente "fixado" com sal grosso, ao seu Exu. Em seguida, acende uma vela preta e vermelha. Os demais membros da obrigação oferecem uma vela e saúdam o Exu, utilizando a luz da vela do Exu do Babalaô.

Cada médium receberá, no ato litúrgico, o curiador (bebida) relativo ao Orixá, na sua cabeça. Receberá ainda, a guia relativa ao Orixá. Essas guias são consagradas durante sete dias pelo Babalaô.

Antes da primeira obrigação (Oxalá), o Babalaô "jogará" os búzios* para cada médium, a fim de determinar o seu "Orixá de Frente" e o seu "Orixá Juntó" para que saiba quais os Orixás que exercem maior influência sobre ele.

O médium que termina as suas obrigações aos Orixás e quer seguir o sacerdócio umbandista, deve, ainda, dar a obrigação a Exu, tornando-se Bábalorixá. O médium que quer se tornar Babalaô, aprenderá a jogar búzios e dará a obrigação a Ifá.

Mais detalhes sobre essas obrigações podem ser encontrados nos livros da *Coleção Orixás*, da Madras Editora.

CURIADORES
(BEBIDAS DE CADA ORIXÁ)

Oxalá: Água pura

Iansã: Mel e champanhe branco

Cosme e Damião: Mel e refrigerante

Iemanjá: Champanhe branco

Oxum: Mel e champanhe branco

Oxóssi: Cerveja branca

Ogum: Cerveja branca

Xangô: Cerveja preta

Nanã: Champanhe rose

Obaluaiê: Mel e vinho branco doce

---

* N.E. Sugerimos a leitura de *Jogo de Búzios*, de Ronaldo Linares, Madras Editora.

BATISMO DE MÉDIUNS – OBRIGAÇÃO A OXALÁ

O batismo ou obrigação a Oxalá é, sem sombra de dúvidas, a mais importante de todas as obrigações, pois somente aquele que é batizado poderá participar das demais. É também a mais singela de todas. Inicia-se pela escolha dos padrinhos, que deverão anunciar ao pai espiritual oficiante a intenção desse filho de fé em ser iniciado em um templo, em caráter oficial. A indumentária será sempre branca, evitando-se luxo e adereços desnecessários.

ROL DO MATERIAL NECESSÁRIO

- Um alguidar de tamanho médio;
- Uma vela de batismo branca (vela de cera);
- Meio metro de fita branca (para adornar a vela);
- Uma guia de Oxalá (miçangão branco leitoso);
- Dois banhos de Oxalá (geralmente industrializados, pois facilita a obrigação para o filho de fé);
- Uma toalha ritualística (para envolver a cabeça do filho de fé);
- Duas espadas-de-são-jorge (planta);
- Uma pemba branca.

Inicia-se a obrigação com o preceito de evitar, durante os três dias que a antecedem:

- **Carne**: porque nela residem ainda restos da vibração negativa resultante da morte do animal;

- **Sexo**: não porque seja pecado, mas porque em todo relacionamento sexual existe uma permuta de vibrações entre os participantes, e o filho de fé deve tentar ofertar a sua vibração original em cada obrigação;
- **Álcool**: pois, além de provocar alterações no campo vibratório, também exerce grande atração sobre espíritos inferiores. Os banhos são realizados na véspera e no dia da cerimônia e consistem em diluir os produtos industrializados em, mais ou menos, quatro ou cinco litros de água morna, que serão despejados sobre os ombros do filho de fé após o banho de higiene. Depois de deixar escorrer todo o banho, esfregar-se vigorosamente com uma toalha felpuda bem seca.

A guia é entregue no ato do batismo.

ROL DO MATERIAL UTILIZADO PELO PAI ESPIRITUAL

O material utilizado pelo pai espiritual para esta cerimônia constitui-se de:
- Um alguidar no qual as guias serão arrumadas, enroladas como ninhos, que além de não permitir que estas embaracem, representam ainda a vida intrauterina, ou seja, a vida ainda dentro do elemento líquido, que caracteriza o período da formação do feto no ventre materno. É o renascimento para a vida espiritual. As guias são conservadas em elemento salino, isto é, água do mar.
- Uma quartinha com amaci (extraído de plantas tenras; significa a força da vida);
- Uma concha marinha ou pote de barro, ou cerâmica, contendo banha de ori (extraída da glândula suprarrenal do cordeiro, animal sagrado);
- Uma concha natural com que o pai espiritual realiza a cerimônia das águas;
- Uma quartinha com água do mar;
- Uma quartinha com água da cachoeira;
- Um amarrado de folhas de samambaia, lembrando um pincel, com que será espalhado o amaci na cabeça do filho de fé.

NOTA EXPLICATIVA

Este cerimonial é aquele realizado apenas quando o filho de fé já tem discernimento para decidir-se pela religião umbandista. Há um outro ritual, também intitulado Batismo, que se destina apenas às crianças introduzidas, ainda em tenra idade, no templo de Umbanda, consistindo na apresentação formal da criança* à família umbandista e de pedido de

---

* N.E.: Sugerimos a leitura de *A Umbanda e as Crianças*, de Doris Carajilescov Pires, Madras Editora.

bênção e luzes espirituais a Deus e aos Orixás (explicaremos detalhadamente no próximo capítulo).

Descrição do ritual

Após a abertura dos trabalhos, realizada normalmente, inicia-se o ritual com o pai espiritual oficiante sentado em frente ao congá em uma cadeira ou banco coberto com uma toalha branca, símbolo da própria Umbanda. Defronte e aos pés do pai espiritual, ficará estendida uma esteira.

Iniciando o ritual, o médium será levado por seus padrinhos até o pai espiritual, onde devem pedir ao novo afilhado que se ajoelhe; dirá a ele que o pai espiritual lhe ensinará o caminho de Deus. A madrinha, que ficará à direita, mantendo acesa a vela de cera, cuja chama simboliza a Luz Divina a iluminar o iniciante, dirá ao pai espiritual:

Senhor, apresento-lhe (nome completo do afilhado em alto e bom tom), que deseja ser batizado dentro da Sagrada Lei da Umbanda.

O iniciando deverá ajoelhar-se diante do pai espiritual e estender suas mãos para frente, com as palmas voltadas para o alto em sinal de submissão e respeito a ele. Um dos ogãs passa a pemba ao pai espiritual que, tomando a mão direita do iniciando, traça-lhe na palma o símbolo da Umbanda (dois triângulos entrelaçados), enquanto diz:

Com este sinal, eu te identifico como filho de fé, por Olurum, por Oxalá e por Ifá.

Esse cerimonial deverá ser repetido na outra palma. Em seguida, repete-se esse mesmo sinal, três vezes, na testa do filho de fé, sempre invocando a Olurum, Oxalá e Ifá, a Santíssima Trindade Umbandista ou Africanista.

Abaixando a cabeça do filho de fé, o pai espiritual cruzará seu pescoço na altura da sétima vértebra cervical, também chamada de proeminente, pois ela destaca-se das demais, sendo facilmente perceptível. Por ela, passam os feixes nervosos que distribuem as ordens do cérebro a todo o corpo.

Nota

Cruzar as mãos em primeiro lugar simboliza que elas, consagradas a Deus, nunca poderão promover o mal; a cabeça, em segundo lugar, significa que as decisões devem se situar acima dos sentidos e dos sentimentos.

Após o cruzamento com a pemba, o pai espiritual utiliza a banha de ori, somente na testa e no pescoço do filho de fé, enquanto diz:

Com o ori Sagrado do Cordeiro de Deus eu te consagro, por Olurum, por Oxalá e por Ifá.

Em seguida, utilizando-se de um punhado de sal grosso, esfrega-o no alto da cabeça do filho de fé, enquanto diz:

Você, que não passa de um punhado de terra revivida, receba em teu camutuê (cabeça) um pouco do sal que dá vida à Terra, por Olurum por Oxalá e por Ifá.

Usará, em seguida, a água da cachoeira, cuja concha um ogã deverá manter cheia e, despejando-a sobre a cabeça do filho de fé, dirá:

Receba em teu camutuê um pouco da água que preserva a vida, por Olurum, por Oxalá e por Ifá.

Esses ritos deverão ser repetidos com água do mar, a que deu a vida.

Terminando esta parte do cerimonial, o pai espiritual juntará em cruz, na altura da testa do filho de fé, as duas espadas-de-são-jorge, invertendo a posição, enquanto diz:

Para que nunca lhe falte a proteção de Oxóssi e Ogum, eu cruzo sua fronte com as ervas da macaia por Olurum, Oxalá e Ifá.

Nesse momento, o ogã descobre a quartinha que contém o amaci, e o pai espiritual, tirando dela as folhas de samambaia, lava a cabeça do filho de fé, enquanto diz:

Com o amaci das flores de jurema e as ervas da macaia, cruzo teu camutuê para que mais nada reste da tua vida profana, por Olurum, por Oxalá e por Ifá.

Em seguida, pega uma das guias que se encontram no alguidar e a coloca no pescoço do filho de fé, dizendo algumas palavras. Estas devem ser pessoais e diferentes para cada filho de fé; vêm sempre como fruto da observação que o pai espiritual faz do filho durante sua permanência no templo. São dizeres que o pai espiritual tira do coração para cada filho em particular.

Depois de receber a bênção do pai espiritual, o filho de fé toma também a bênção dos seus padrinhos que, devolvendo-lhe a vela de cera já apagada, explicam que ela foi consagrada a Ifá (o Espírito Santo) e, como tal, é uma vela sagrada, que será utilizada nos momentos mais importantes.

O alguidar guarda em si o axé da obrigação do batismo, da consagração do filho de fé a Oxalá e será, posteriormente, utilizado na obrigação a Oxum.

A toalha usada, após a cerimônia, para cobrir a cabeça do filho de fé, deverá ser mantida por mais tempo a fim de conservar os axés em sua cabeça.

O filho de fé deverá segurar o alguidar quando receber a água do mar, da cachoeira, o sal e o amaci para recolher os axés.

CUIDADOS COM O MATERIAL UTILIZADO DURANTE O BATISMO

O alguidar deve ser guardado cuidadosamente, pois além de conter em si o axé da obrigação do batismo, ele será usado na obrigação a Oxum.

A pemba só poderá ser usada pelo filho de fé ou futuro pai ou mãe espiritual do templo em situações especiais que exijam mais firmeza, ou para cruzar os seus filhos de fé.

As espadas-de-são-jorge devem ser secas e utilizadas em defumações ou banhos pelo filho de fé, quando em situações difíceis. Podem, ainda, ser colocadas em água para brotar; esses brotos podem ser utilizados em vasos ou canteiros para uso posterior, mas as duas espadas originais, após brotarem, deverão ser secadas e guardadas.

A vela do batismo foi consagrada a Ifá, podendo ser acesa aos poucos ou de uma só vez, quando o filho de fé tiver problemas graves a serem resolvidos.

A cabeça do filho de fé não deve ser lavada até às 12 h do dia seguinte, e o preceito também será seguido igualmente até o mesmo horário do próximo dia.

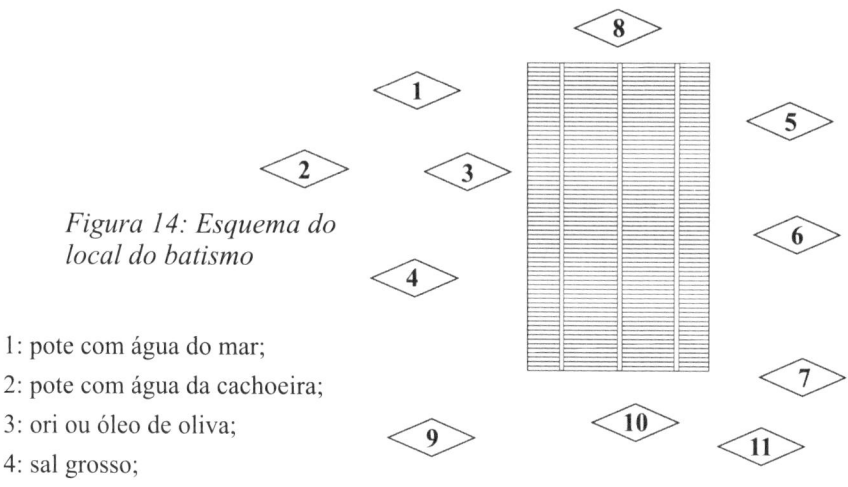

Figura 14: Esquema do local do batismo

1: pote com água do mar;

2: pote com água da cachoeira;

3: ori ou óleo de oliva;

4: sal grosso;

5: alguidar com amaci e guia (a guia deve ficar sete dias em amaci com a vela de quarta em frente ao congá – guia iluminada);

6: pote com amaci e amarrado de folhas;

7: alguidar com amaci, vela de quarta branca acesa;

8: pai espiritual;

9: madrinha;

10: afilhado;

11: padrinho.

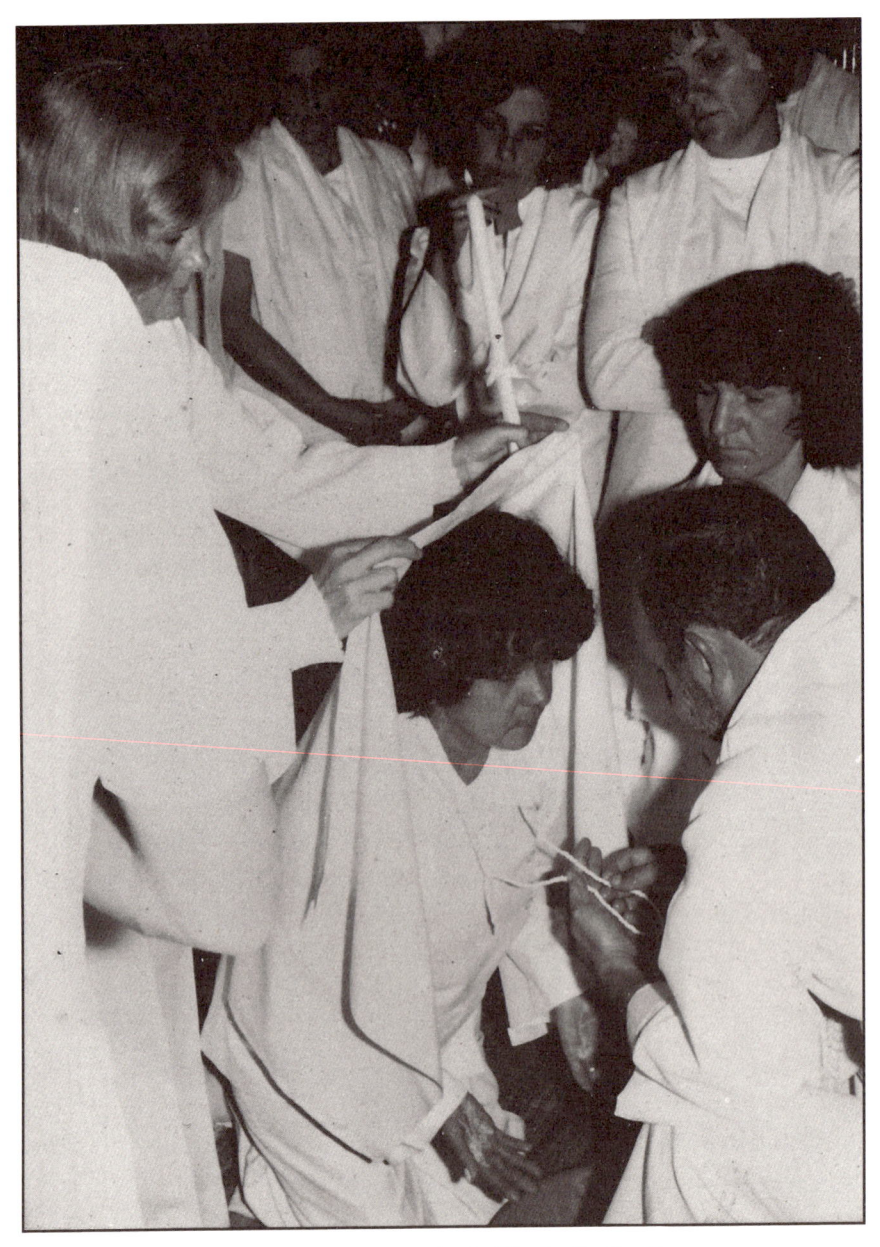

Figura 15: Consagração de filha de fé a Oxalá

Batismo de Crianças na Umbanda

O batismo de uma criança no ritual umbandista difere, em sua essência, daquele que é realizado no ritual católico, pois neste a cerimônia do batismo é parte de um exorcismo em que o sacerdote expulsa o demônio que habita a criança em consequência do pecado original (herança bíblica de Adão e Eva e do relacionamento íntimo dos pais da criança). Na Umbanda, não se aceita absolutamente que a criança possa já nascer em estado de pecado, o batismo simboliza a apresentação aos irmãos em Oxalá do jovem recém-nascido, bem como sua aceitação na fraternidade. O sacerdote invocará as bênçãos de Deus para essa criança e um casal de irmãos deverá assumir, diante do congá, o compromisso de que na ausência dos pais da criança estes irão ampará-la como se fosse seu próprio filho.

Descrição do Ritual

Faz-se a abertura normal dos trabalhos e, quando chega o momento das incorporações, o pai espiritual solicita que sejam trazidos, ante o congá, a criança, seus pais e os padrinhos. Antes de dar início à cerimônia, dirige algumas palavras ao público presente, explicando os motivos da solenidade, visto ser muito comum em tal caso a presença de convidados não-umbandistas, mas parentes ou amigos dos pais da criança e estes devem ser esclarecidos para não somente verem um ritual, mas inteirarem-se de seu profundo significado esotérico e humanístico.

O pai espiritual oficiante estará de frente para o público e de costas para o altar; os participantes estarão de costas para o público e de frente para o altar e para o pai espiritual; a criança deverá vestir uma roupa prática e fácil de manusear e estará nos braços da madrinha. Ao lado direito da madrinha ficará o padrinho, sustentando uma vela de batismo (a vela representa a Luz Divina, a presença do Espírito de Deus e é consagrada a Ifá, o Espírito Santo); ao lado esquerdo da madrinha ficará a mãe da criança e ao lado desta, o pai. Dando início à cerimônia, o pai espiritual tomará a banha de ori (também chamada limo da costa), uma substância gordurosa, extraída da glândula suprarrenal do cordeiro, e traçará com ela o símbolo da Umbanda (dois triângulos entrelaçados) três vezes, na fronte da criança, proferindo as seguintes palavras:

Ao ungir tua fronte com o ori sagrado, eu te consagro a Deus, segundo a Lei da Umbanda, por Olurum, por Oxalá e por Ifá.

Desta forma, o sacerdote umbandista estará rogando a proteção de Deus e dos Orixás para a criança. A cerimônia tem prosseguimento quando a madrinha vira a criança, descobrindo sua nuca e pescoço e, na vértebra cervical mais saliente – a que leva o nome de proeminente, ponto de encontro dos feixes nervosos que descem do cérebro e chacra da maior importância – o pai espiritual repetirá a cerimônia. Voltando a criança à posição normal, a mãe deve abrir sua roupa no peito para que mais uma vez o pai espiritual possa cruzá-la, da mesma forma que o realizado anteriormente.

Exclui-se o ritual das mãos da criança, pois esta é uma atitude que a criança tomará mais tarde, quando souber discernir se deseja ou não prosseguir seu caminho na seara umbandista.

Dando sequência à cerimônia, o pai espiritual utiliza a pemba pilada. Tomando nas mãos o recipiente onde deverá estar a pemba, repetirá todo o ritual usado durante a primeira parte com a banha trocando apenas os dizeres, que passarão a ser:

Com a pemba, eu te consagro a Olurum, Oxalá e Ifá.

A cerimônia prossegue com a unção com sal, que obedece ainda à mesma ritualística, sendo que ao final deposita-se um pouquinho (uma pitada) de sal também na boca da criança, dizendo-lhe:

Receba o sal da terra, você que não passa de um punhado de terra revivida pela vontade de Deus.

Usa-se normalmente sal refinado em lugar do sal grosso, pois sendo muito delicada a pele do bebê, o sal grosso poderia feri-la; também se pode pilar e peneirar, em peneira fina, o sal grosso, com o mesmo resultado. Ao terminar essa parte do ritual, o padrinho toca com uma das mãos o peito da criança e com a outra continua segurando a vela, enquanto a madrinha segue segurando a criança em seus braços. O pai espiritual, nesse instante, chama a atenção dos padrinhos para a importância do ato solene e da responsabilidade que se seguirá, pedindo-lhes que repitam cada uma de suas palavras, assumindo perante o altar de Deus suas responsabilidades para com o batizando. Diz o sacerdote:

Eu (e cada um dos padrinhos repete seu próprio nome por extenso) recebo-te (dizem o nome da criança), na falta ou ausência de teus pais, como se fosse meu próprio filho, prometendo alimentar-te, educar-te, orientar-te e amar-te, encaminhando-te dentro dos ensinamentos de nossa crença, no amor a Deus e aos Orixás, por Olurum, por Oxalá e por Ifá.

A seguir, cada um dos padrinhos repete o seu próprio nome e diz:

Eu juro.

Naturalmente, não é de forma alguma necessário que as palavras sejam repetidas exatamente nesta ordem: basta que a ideia do que exprimem não seja alterada.

A seguir, o pai espiritual coloca na palma da mão do padrinho uma pitada de pemba pilada e este deverá dizer à criança:

Em nome de Deus, eu te recebo e abençoo.

Em seguida, soprará a pemba sobre a criança. O mesmo fará a madrinha, o pai e a mãe da criança e também o pai espiritual, que dirá:

Em nome de Deus, eu te consagro e abençoo.

Essa parte da solenidade lembra o sopro divino, que teria dado origem ao primeiro homem, ou melhor, à dependência divina do próprio homem.

A seguir, um ogã pede ao pai da criança que segure sob a cabeça dela uma pequena bacia de louça, passa para o pai espiritual a concha de batismo e a enche com água pura. Tomando a concha, o pai espiritual dirá:

Com a água que mantém a vida, eu lavo de sua cabeça toda e qualquer impureza ou negatividade, por Olurum, por Oxalá e por Ifá.

Após essa cerimônia, o ogã, auxiliado pela mãe ou pela madrinha da criança, enxuga a cabeça dela.

Os utensílios sagrados voltam ao congá. O pai espiritual cumprimenta todos, felicita-os e lembra-os da grande responsabilidade assumida ante o altar de Deus.

Em seguida, será iniciado o cântico que chamará uma ou mais entidades espirituais para que do astral tragam suas vibrações positivas para a criança e demais participantes, sendo de livre escolha dos pais, as entidades que serão chamadas, as quais não deverão ser mais que duas ou três.

Também não é obrigatório que a entidade incorporante seja do pai ou mãe espiritual do templo; poderá ser perfeitamente de qualquer médium da casa, incluindo-se os pais ou padrinhos da criança.

Após a cerimônia, o padrinho apagará a vela e a entregará à mãe da criança, que deverá acendê-la e orar diante da chama sagrada quando houver qualquer dificuldade experimentada pela criança, pois a referida vela foi consagrada a Ifá (o Espírito Santo).

O Casamento na Umbanda

A bênção nupcial é, possivelmente, o mais antigo e o mais importante de todos os sacramentos. Em qualquer forma de culto, ela tem por objetivo atrair as bênçãos de Deus e dos Orixás sobre os esposos, fazendo com que esta nova família se inicie dentro dos ensinamentos divinos e que o fruto desta união, desde a mais tenra idade, seja educado dentro da religião professada por seus pais. Somente desta forma podemos considerar a família como célula da própria Igreja. Pelo exposto, podemos concluir que também na religião umbandista o casamento é visto como um dos mais importantes dos sacramentos.

Normalmente, em nossa sociedade a mulher é, desde a mais tenra idade, preparada para o papel de esposa e mãe. Ela é condicionada a esperar toda uma vida pelo importante momento em que, conduzida ante o altar de Deus, receberá oficialmente do sacerdote a bênção divina para sua nova vida. Durante o tempo em que dura a cerimônia, é principalmente para ela que estarão voltados os olhos de amigos e parentes, todos irmanados em seus desejos de sucesso e de felicidade para o casal. Por isso, todo o casamento deve ser envolto em um clima de pompa e alegria, em que a mulher é a rainha incontestável. Esse, mais do que qualquer outro, será o seu dia inesquecível.

Naturalmente, para o homem, a data não é menos importante: o que ocorre apenas é que para o homem a mudança de estado civil é geralmente aceita com mais naturalidade.

Toda união matrimonial encerra uma etapa de demonstrações de qualidades e virtudes para revelar, pelo cotidiano, a outra face, constituída pelos aspectos negativos de cada um de nós. Se durante o namoro e o noivado exibimos apenas qualidades, após a lua de mel estaremos desfilando nossos defeitos, que aliás são inerentes a nossa própria condição de seres humanos.

A cerimônia nupcial deve predispor, desde logo, os noivos à união em todos os sentidos e à superação de todas as dificuldades que porventura venham a enfrentar em sua vida em comum, transformando essa união, se possível, em uma união duradoura.

Material necessário

- Uma bandeja de tamanho médio (de preferência de inox);
- Uma pemba branca;
- Duas velas de cera branca;
- Uma taça de cristal;
- Um cálice de cristal;
- Duas jarrinhas de cristal brancas;
- Uma toalha branca trabalhada;
- Um frasco pequeno com bebida amarga (geralmente Fernet);
- Um frasco pequeno com bebida doce (geralmente licor de anis);
- Uma agulha hipodérmica esterilizada;
- Dois ou três chumaços de algodão embebidos em mertiolate incolor ou outro antisséptico, guardados fora da vista da assistência.

Desenvolvimento

O congá e o terreiro devem ser convenientemente preparados, adornados, de preferência com flores brancas.

Inicia-se o cerimonial cantando para a abertura da Jurema, normalmente contando-se com a assistência do pai ou mãe pequenos do terreiro. O Babalaô só adentrará o recinto sagrado nos instantes que antecedem à cerimônia.

Noivos e padrinhos entram somente quando chamados e ao som de música adequada, significativa para a ocasião. Antes disso, serão o pai ou mãe pequenos quem conduzirão o ritual. Um ogã receberá do Babalaô as duas velas já acesas e as passará às mãos dos padrinhos, que deverão introduzir no recinto sagrado os noivos. As chamas representam a Luz Divina que deverá estar presente em todo o ritual. Se os noivos forem filhos de fé da casa deverão, nesse instante e isoladamente, fazer sua saudação ao congá, naturalmente pelo que ele representa, bem como tomar respeitosamente a bênção do Babalaô.

A seguir, permanecem diante do Babalaô de forma tal que não ocultem o público. Nesse momento, o Babalaô deverá dirigir-se aos presentes, referindo-se à cerimônia que deverá ocorrer, esclarecendo a seriedade e seu caráter indelével e o significado transcendental que representa para os noivos, bem como o papel de mediador e a consequente serenidade e espírito de compreensão que constituem o dever dos padrinhos em todas as divergências que eventualmente venham a perturbar a paz conjugal.

Os noivos estarão dispostos da seguinte forma: ela, de frente e à direita do Babalaô tendo à esquerda seu padrinho. Ele, também de frente e à esquerda do Babalaô, tendo à sua direita a madrinha. O Babalaô estará ladeado por dois ogãs que o auxiliarão na cerimônia. A um sinal do Babalaô os padrinhos, tomando o braço de seus afilhados, avançarão um passo em sua direção. Este pede aos noivos que se aproximem. Um dos ogãs toma a bandeja onde se encontram os objetos de culto e a aproxima dele, que toma a pemba e traça nas mãos do noivo o símbolo da Umbanda enquanto repete as palavras rituais do batismo de purificação, dizendo:

Com este sinal eu te reconheço como filho de fé, por Olurum, por Oxalá e por Ifá.

A seguir, toma as mãos da noiva e repete o mesmo ritual. Feito isso, pede aos noivos, que se acham frente a frente, que se deem as mãos da seguinte forma: palma da mão de um encontrando a palma da mão do outro, cruzando os polegares, e dirige-se a eles dizendo:

Olhem-se nos olhos, vocês deverão sempre estar dispostos, como neste momento, a olhar-se nos olhos quando enfrentarem as asperezas dos caminhos da vida. Aprendam, meus filhos, que tudo é mais fácil em uma jornada quando o trabalho é feito com harmonia e amor e quando nós podemos nos olhar e sorrir com sinceridade das dificuldades superadas. Olhando-se nos olhos será sempre mais fácil um melhor entendimento e é isto o que faz um bom casamento.

Naturalmente, não é necessário que se repita palavra por palavra do que foi dito. O importante é ressaltar a importância do casal em agir com sinceridade, olhando-se nos olhos para que um não traia a confiança do outro e respeitando-se mutuamente para que possam ser felizes para sempre, apesar das dificuldades. O que realmente importa é fazê-los compreender o conteúdo da mensagem expressa na cerimônia.

Nessa hora, o ogã se adianta e oferece ao Babalaô a bandeja onde se encontram o cálice, a taça e as duas jarrinhas, uma contendo uma bebida escura e amarga, e a outra uma bebida cristalina e doce.

NOTA EXPLICATIVA - 1

A bebida escura, geralmente, é o Fernet de boa qualidade. A clara, licor de anis ou anisete.

Tomando a jarrinha, o Babalaô derramará um pouquinho no cálice e passará às mãos do noivo, enquanto diz:

Vocês deverão partilhar juntos o cálice da amargura.

O noivo toma um gole e passa o cálice para a noiva, que também deve provar a bebida. Nesse instante o Babalaô pega a outra jarrinha – a que contém líquido cristalino – e, derramando-a na taça, faz com que os noivos, pela mesma ordem, provem dela enquanto diz:

Partilharão a taça do prazer e verão que, da mesma forma que a doçura desta bebida fez desaparecer o amargor da outra, vocês serão capazes de superar os revezes da vida, enquanto puderem amar-se com fidelidade e afeto, olharem-se nos olhos e sorrirem um para o outro.

NOTA EXPLICATIVA - 2

Muito importante: nunca se devem servir as bebidas diretamente das garrafas originais. Na verdade, não se deve mencionar nem mesmo de que tipo de bebida se trata, pois esta prática, mal compreendida pelo não-iniciado, pode dar margem a interpretações errôneas. Quando a cerimônia é realizada fora do terreiro de origem, o Babalaô, convidado a oficiar a cerimônia, transporta a bebida em pequenos frascos e, no próprio terreiro, as jarrinhas devem ser preparadas longe do olhar do público, no local destinado ao chefe de terreiro ou, na falta deste, na secretaria ou cozinha do templo, sempre distante de olhares curiosos.

Nesse ponto da cerimônia, o Babalaô toca os ombros dos noivos fazendo com que estes fiquem de frente para o congá. Cuidadosamente, toma a agulha hipodérmica (envolta em uma toalha rendada, de forma a não ser vista ou identificada) que repousa sobre a bandeja e, tomando a mão do noivo, segura-a com sua mão esquerda, enquanto com a direita apoia a agulha na palma da mão do noivo para que a ponta toque a almofada muscular que move o polegar. O braço que retém a agulha (o braço do Babalaô, naturalmente deverá) apoiar-se, por meio do cotovelo, junto à cintura, para que a agulha fique realmente firme. Com um movimento rápido do pulso, deverá fazer com que a mão do noivo se fira na agulha, ou seja, é a mão do noivo (posteriormente a da noiva) que se mexerá e nunca a agulha. O ferimento deverá ser o menor possível para que apenas uma gota de sangue seja conseguida. Pegando nas mãos de ambos, o Babalaô fará com que se unam no tradicional cumprimento umbandista (um dos polegares envolvendo o do outro) tornando a pedir que ambos se voltem um para o outro e se olhem nos olhos. O ogã recebe a agulha envolta na toalha e se afasta discretamente. O Babalaô cobre, com sua toalha ritualística, as mãos unidas; os dois pequenos ferimentos fazem nesse momento, ante o congá, a união do sangue de ambos. A toalha sagrada santifica a união, e o Babalaô lhes diz:

Meus filhos, houve um instante de dor: diante do altar de Deus seus sangues se encontraram e neste instante sagrado se santificam. Da mesma forma que neste momento estes sangues se unem, assim também vocês se unirão para formar novas vidas que serão geradas dessa união, vidas cujas responsabilidades lhes pertencem e que vocês deverão amparar, manter e orientar, segundo os ensinamentos divinos da Sagrada Lei da Umbanda. Olhem-se nos olhos, na alegria e na tristeza, no prazer e na dor, olhem-se nos olhos, sorriam e respeitem-se.

A seguir, o Babalaô descobre as mãos dos noivos e cada um dos padrinhos adianta-se e entrega a vela ao seu afilhado. Explicando o simbolismo das chamas da vela, o Babalaô explica que, até aquele momento, a vida de cada nubente era como a chama de cada uma das velas, cada qual iluminando um caminho separado, mas que a partir daquele instante (neste ponto, tomando as mãos dos noivos, inclina as velas de forma tal que as chamas se unam) suas vidas deveriam se fundir e transformar-se também em uma única vida. Não seriam mais duas luzes a iluminar caminhos diferentes, mas sim uma única luz a iluminar o caminho de ambos e dos frutos dessa união. Quando uma dessas chamas, por vontade divina, se apagar, restará à chama remanescente o dever de cuidar de tudo aquilo que criarem juntos, com respeito e amor às coisas sagradas da religião que os une diante do altar de Deus e da sagrada lei da Umbanda.

Nesse ponto, deverá ser encerrada a cerimônia litúrgica. O Babalaô abençoa a ambos e os parabeniza, desejando-lhes votos de vida longa, próspera e feliz, com muita serenidade e paz.

Passando à parte espiritual da cerimônia, que é previamente combinada entre os noivos e o Babalaô, deverá ser chamada, por intermédio de pontos cantados, a entidade espiritual que, complementando a cerimônia, dará aos noivos as bênçãos.

A escolha da entidade é feita sempre pelos noivos e pode recair não somente sobre o Babalaô, mas também sobre qualquer médium do terreiro. É desejável que apenas uma entidade seja chamada para essa função, embora nada impeça a presença de outras.

Muito importante

Pela própria natureza da cerimônia, não se deve realizar qualquer outra atividade de rotina no terreiro. Com a bênção espiritual concluída, encerram-se os trabalhos da forma habitual. Se houver alianças (não fazem parte implícita do rito), elas deverão ser entregues para que recebam o axé da entidade incorporante.

BODAS DE PRATA

O ritual é o mesmo, alterando-se, naturalmente, as palavras, sendo que estas devem ser ajustadas para aqueles que já percorreram 25 anos de existência juntos.

Não deve ser realizada a cerimônia do sangue, totalmente inadequada nessa ocasião.

A cerimônia de bodas de prata é apenas uma reafirmação do casamento.

Pompas Fúnebres na Umbanda

Dentro do Candomblé existe um ritual chamado axexê que é a encomendação do corpo físico de um filho de fé que faleceu.

Durante esta cerimônia, a roupa do filho de fé é toda incinerada, em local adequado, e o pai espiritual designa quem ficará no lugar desse filho (se ele tiver uma categoria hierárquica dentro da roça de Candomblé).

O corpo é colocado defronte ao trono do pai espiritual e durante algum tempo o caixão é abaixado e levantado diversas vezes, com os filhos de fé dando passos para frente e para trás. Para cada três passos à frente, dá-se um passo para trás.

No caminho da calunga pequena (cemitério), a sequência não é tão rígida assim, mas de vez em quando se volta um ou dois passos para trás.

O pai espiritual leva nas mãos o eruechim (tipo de chicote feito de rabo de cavalo, usado por Iansã) e durante o percurso bate no caixão para afastar os eguns (espíritos).

Iansã é o único Orixá, além de Omulu, que entra no cemitério e comanda os eguns.

Na Umbanda, a encomendação do corpo físico é bem diferente. Com a permissão da família, os irmãos de fé do falecido apresentam-se de branco onde o corpo é velado.

Antes de se dirigir ao local, o médium deve tomar um banho de Obaluaiê, incluindo as pipocas, principalmente. Nessa cerimônia, não deve haver incorporações de forma alguma.

Chegando ao local, os filhos de fé devem ficar em torno do caixão, intercalados pelas pessoas da família. O pai espiritual toma seu lugar à cabeceira do falecido. Antes de começar a cerimônia, o local do velório e os participantes devem ser defumados (a mesma usada para Obaluaiê).

Este ritual deverá ser feito com um certo tempo antes do enterro; nunca deve ser deixado para a última hora.

O pai espiritual, usando a palavra, enaltece os dons do falecido, tanto na vida material, como na mediúnica, fazendo com que a família perceba que ele era muito admirado por ele e pelos seus irmãos de fé, por todos os seus princípios e suas virtudes.

O pai espiritual deve fazer uma prece aos Orixás e às entidades, pedindo que o encaminhem na vida espiritual. A melhor prece para esse momento é a de Cáritas. Ela abrange um campo muito grande e serve para todas as ocasiões, incluindo as fúnebres. Rezamos também um Pai-Nosso e uma Ave-Maria para que as pessoas que não conhecem a prece de Cáritas possam rezar conosco.

O filho de fé deve ser enterrado de branco e com todas as guias. As guias de Exu devem ser envoltas em um pano preto e escondidas ao lado das pernas, onde ficarão ocultas pelas flores. Se for possível, é bom que se queimem, nos quatro cantos do caixão, onde estão as velas tradicionais, velas de quarta. Se a família permitir, o corpo deve ser lavado com um banho de Obaluaiê.

No momento em que o corpo entra no cemitério, é de bom alvitre que se cantem os pontos das entidades que se serviam daquele médium, para que elas o ajudem na nova vida. No instante em que o corpo baixa à sepultura, todos os filhos de fé que acompanham o féretro levam a mão ao coração, cantam o Hino à Umbanda, fazem uma última prece no local e podem retirar-se.

O médium que acompanhou o féretro, ao chegar a sua casa, deve tomar um banho com sal grosso para descarregar (se por acaso ele absorveu alguma carga negativa).

Na casa onde morava o filho de fé falecido, deve ser feita uma boa defumação. O pai espiritual chama uma entidade de seu gosto para proceder à limpeza do local. Isso pode ser feito um ou dois dias após o enterro.

Se for o caso, se o filho de fé não puder ir vestido de branco, nem levar suas guias por motivos alheios à sua vontade, como por exemplo: no caso de o caixão ser lacrado por motivo de doença contagiosa ou de acidente, o pai espiritual marca uma data e um local, que pode ser na mata ou mesmo no quintal da casa do falecido, para uma cerimônia complementar. A esta são convidados os filhos de fé mais íntimos daquele que partiu.

Prepara-se uma fogueira para incinerar a roupa branca, as guias e tudo aquilo que era de uso pessoal do médium e das entidades.

Quando tudo estiver reduzido a cinzas, o pai espiritual coloca-as em uma panela de barro, veda a tampa e despacha no mar. Esse despacho deve ser feito em mar aberto ou em lugar profundo, porque se for jogado perto da praia, o mar devolverá tudo. Se não puder ser jogado no mar, despachase em um rio com águas profundas. Não é preciso que isso seja feito nos primeiros dias, mas também não é bom demorar-se muito.

Do material que o médium usou durante sua vida mediúnica nada deve restar, a não ser que em vida ele tenha mostrado vontade de doar algum objeto a alguém. Isso deve ser respeitado.

Se um pai ou uma mãe espiritual falecer, seu caixão deve ser coberto com uma bandeira branca. Seus filhos de fé devem abster-se de incorporação por um período nunca inferior a sete dias. Durante esse tempo, as reuniões serão realizadas apenas para fazer preces por eles e para que as entidades os auxiliem em suas novas vidas.

Também não se deve pedir ajuda a eles, pelo menos por um período bem maior do que o mencionado acima. Pedir sua ajuda logo após o falecimento perturba a acomodação no plano espiritual!

Se houver negativa da parte da família para a execução do ritual fúnebre, o corpo mediúnico reúne-se no terreiro e lá, após as mesmas preparações pedidas se acaso fossem ao velório, fazem a defumação e as preces para que as entidades ajudem aquele irmão em sua nova vida.

Em caso de uma pessoa estar "às portas da morte", sofrendo muito em seu leito de dor, e se a família permitir, pode haver uma incorporação para a entidade auxiliar, por meio de passes ou vibrações, daquele irmão que está prestes a se desligar da matéria.

Em momento algum se deve pedir a morte de uma pessoa, por mais sofrimento que ela esteja passando ou causando à família. Deve-se pedir o auxílio das entidades e que se faça a vontade de Deus.

Se a família do filho de fé se negar a entregar a roupa branca, guias e utensílios de trabalho, o pai espiritual programa uma reunião, a que irão apenas os irmãos de fé mais íntimos do falecido. Nessa reunião, o pai espiritual pede a presença da entidade que tinha mais afinidade com o filho (neste caso, é sempre uma entidade do próprio pai, já que foi ele quem encaminhou o filho de fé), um dos ogãs explica a situação e a entidade determina o que deve ser feito para anular as vibrações contidas naqueles objetos que pertenceram ao filho de fé falecido.

OBS: O velório de um pai espiritual não deve ocorrer no Terreiro, pois isso significa a "morte do Terreiro".

Trabalho de Desobsessão

Um dos trabalhos mais difíceis de fazer em um templo, ou mesmo em um centro kardecista, é a desobsessão.
O que leva uma pessoa a procurar uma casa de caridade para solucionar seus problemas?
Na maioria das vezes, é o último recurso; é a última esperança de pessoas que já fizeram de tudo e não obtiveram êxito em suas tentativas. Doenças físicas, para as quais os médicos não encontraram razões nem base para o tratamento; declínio na vida financeira, embora a pessoa trabalhe muito mais do que o normal; vícios que a pessoa adquire repentinamente e contra a sua própria vontade; doenças psíquicas ou mentais, cujo tratamento médico não surte o efeito desejado. Aparente ou psiquicamente, a pessoa é sã; porém, age como se não o fosse.

COMO SE PROCESSA UMA DESOBSESSÃO?

Em primeiro lugar, a pessoa vai ou é levada por alguém até uma casa de caridade e se consulta com uma entidade. Após uma ou mais consultas, a entidade dá o seu parecer: obsessão.
A obsessão pode originar-se de três formas diferentes:

1) Mediunidade não-desenvolvida, cuja porta aberta é um chamariz para as entidades sofredoras em busca de luz e tranquilidade;
2) Aproximação de entidades atrasadas, de vibração equivalente, por motivos de afeição ou de vingança, sem haver necessidade de a pessoa ser médium;
3) Entidades atrasadas ou negativas, enviadas especialmente para perturbar a pessoa de forma moral, física ou financeiramente.

Quando a entidade diagnostica que o caso é de obsessão, o cambono marca uma data, com a anuência da entidade, para o trabalho de desobsessão. Recomenda-se que a assistência seja reduzida ao mínimo possível.

Abrem-se os trabalhos normalmente. Se for costume do templo, solicita-se a presença do guia-chefe; caso contrário, dá-se início aos trabalhos de desobsessão. Se houver número suficiente de médiuns, solicita-se o concurso de quatro deles para cada pessoa a ser atendida; se faltarem médiuns, reduz-se o número. Deve-se limitar o número de pessoas a serem atendidas, de acordo com o tamanho do templo, para que todos possam ser atendidos sem problemas. É importante que os médiuns atendam pessoas do mesmo sexo; na falta de pessoal suficiente para isso, é conveniente que se tomem as devidas precauções, devendo cada médium usar a sua toalha para evitar que se toque com as mãos na pessoa que é atendida, ou mesmo que se toque no médium que vai servir de intermediário.

Para que o trabalho transcorra com maior desembaraço, é bom que o consulente antecipadamente exponha os seus problemas àqueles médiuns que vão lhe atender. O caso precisa ser analisado, dentro de uma pesquisa honesta, para que a equipe que ali está possa trabalhar e chegar a um bom termo. Colocam-se uma ou mais cadeiras viradas de forma que a pessoa que passar pela corrente fique voltada de frente para o congá. Atrás da pessoa que está sentada fica o médium que comandará a desobsessão. Na frente da pessoa, e com as costas voltadas para o congá, fica o médium que vai servir de intermediário para o obsessor. Os médiuns que ficam nas laterais da cadeira vão conversar com a entidade que se manifestará e a pessoa que ali está; em caso de alguma reação, já deve estar combinado previamente com quem atende para não haver confusão na hora. Quando a entidade se manifesta, o médium que está servindo de cambono procura, por meio de uma conversa adequada, converter, ou em outras palavras, trazer à realidade aquela entidade que permanece junto à pessoa sem saber, na maioria das vezes, que já fez a sua passagem para o mundo espiritual, ou se já o sabe, alertá-la para sua condição de ser espiritual e que aquele corpo não lhe pertence. Muitas vezes, existem pessoas que são acompanhadas por mais de um obsessor; há necessidade, então, de mais de uma sessão de desobsessão. Acontece também que às vezes o obsessor não é aquela entidade desnorteada e perdida que normalmente encontramos obsediando uma pessoa, mas uma entidade já com certa malícia e conhecimento, que age de forma contrária àquela que esperamos, ficando do lado de fora do templo quando a pessoa para lá se dirige. Nessas circunstâncias há, às vezes, necessidade de um trabalho especial para conseguir fazer a entidade vir até o templo.

O papel da pessoa que comanda a desobsessão, aquela que fica atrás da pessoa obsedada, é usar toda a força de seu pensamento, de sua fé, para conseguir que o obsessor, seja ele quem for, dê a sua palavra, por meio de um dos médiuns ali presentes, já que não o poderia fazer pela pessoa que ele está obsediando. Se ela não for médium, ou mesmo sendo, não tem conhecimentos suficientes para que isso possa ocorrer tranquilamente. Às vezes, apesar de o médium concentrar-se profundamente, não ocorre a incorporação; troca-se então de médium para uma nova tentativa. Se nem assim der certo, é melhor pedir a uma entidade de luz que auxilie em nova tentativa. Quando a entidade de luz se manifesta, sabe-se por ela que o espírito obsessor não se apresenta ao seu lado no momento. Têm-se, então, duas opções: ou é um espírito cheio de malícia e que se mantém afastado nos momentos em que há a possibilidade de a pessoa libertar-se dele, ou então a força da corrente espiritual ali manifestada conseguiu, por intermédio das entidades espirituais, doutrinar o obsessor sem a interferência do médium. Neste caso, só se fica sabendo do resultado, se o mal foi ou não sanado, com o passar do tempo.

Na maioria das vezes, os obsessores exigem uma atenção muito grande das pessoas presentes ao trabalho; às vezes gritam, blasfemam ou permanecem em um mutismo completo.

Um dos cambonos deve tentar conseguir da entidade o seu nome, onde e qual foi o motivo de sua passagem e por que motivo está obsedando aquela pessoa. Às vezes, informações completas são impossíveis, devido ao grau de inferioridade em que se encontra a entidade. O cambono deve procurar conversar, tentando dissuadi-lo de continuar agindo daquela maneira.

Entidades suicidas, atrasadas em sua evolução espiritual, agem, com frequência, sobre as pessoas com tendências a praticar este ato. A coragem que às vezes falta à pessoa é suprida e acrescida com a aproximação de espíritos obsessores que praticaram o suicídio.

A pessoa deve condicionar-se: não adianta passar pela desobsessão e continuar com os mesmos vícios.

Limpeza Espiritual de Residências e outros Recintos

VIBRAÇÕES NEGATIVAS

São muitas as ocasiões em que se faz necessário o procedimento da limpeza espiritual de uma residência, ou mesmo de um ambiente de trabalho, em razão de cargas negativas resultantes da presença de espíritos atrasados ou até mesmo de pessoas que, vibrando negativamente, influem maleficamente entre os membros ou pessoas que trabalham em um determinado local.

São imensas as ocasiões em que esses fenômenos podem ocorrer, bem como muito grandes os prejuízos que podem advir dessas mesmas fontes de negatividade. Poderíamos dividi-las em diferentes categorias:

A) As Intencionais

Trabalhos feitos por entidades atrasadas, espíritos inferiores, que atendem a pedidos de pessoas más, mediante o recebimento de presentes ou ebós. Dispõem-se a semear a discórdia, o desassossego e a causar toda sorte de malefícios que puderem contra os habitantes de uma determinada casa, às vezes até mesmo de uma empresa, uma casa comercial ou qualquer outra atividade que se concentre em determinado local (escritório, imobiliária, etc.). Entre estas incluímos, também, as atitudes de vingança, de ódio e principalmente de egoísmo, que é o pai de todas.

B) As Ocasionais

Focos de vibrações negativas que já se encontram no local antes de serem habitados ou que lá chegaram posteriormente, como obra do acaso, ou, pelo menos, que não houvesse um mandante determinado. Por exemplo: imagine que em certo local viveu durante algum tempo uma pessoa de má índole, alguém que se comprazia em semear a dor, em prejudicar pessoas, um egoísta que desejava prejudicar alguém a qualquer preço e que, consequentemente, irradiou durante o tempo em que permaneceu ali, uma forte dose de negatividade, que aumenta proporcionalmente ao tempo em que esteve no referido lugar. Outro exemplo: a presença de espíritos obsessores, almas atrasadas, que após o desencarne insistem em continuar vivendo como se não tivessem morrido (também chamados fantasmas). Ciumentos do que lhes pertenceu, não aceitando sua nova condição, permanecem no local, causando toda sorte de problemas. Há casos também em que cenas de violência ocorridas no local deixam vibrações negativas. Por exemplo: um terreno baldio é utilizado por marginais e nesse lugar ocorre um estupro ou um assassinato. A cena violenta deixa vibrações baixíssimas de sofrimento, de dor. Algum tempo depois, no mesmo ponto, ergue-se uma residência, um prédio de apartamentos ou um escritório. Estas vibrações persistem e ainda causam malefícios.

c) As Não Intencionais

Aquelas que muitas vezes recebemos de forma inesperada, de pessoas que consideramos amigas e que, em muitos casos, realmente o são, mas que contra sua própria vontade emitem sentimentos de inveja e ciúmes que não conseguem evitar, atingindo-nos direta ou indiretamente, causando danos a outras pessoas que nos cercam ou mesmo a animais e plantas que estimamos e que vivem em nossa companhia. Por exemplo: uma pessoa tem um pássaro muito bonito, ou que canta muito bem; logo surge um amigo e se interessa por ele. Se nos recusamos a vendê-lo ou dá-lo, algum tempo depois o pássaro morre, repentinamente, sem nenhuma razão aparente. O tipo de exemplo citado é muito comum. Quando uma pessoa se muda para uma casa melhor, mais bonita, mais confortável, melhor que a de amigos e parentes, não raro este fato gera ciúmes. Seja qual for a origem dessa forma desagradável de vibrações, o melhor a fazer é sempre indagar uma entidade espiritual sobre como proceder, se é a ainda da presença da entidade (caso de desobsessão), ou então, apenas das vibrações, como no caso presente.

CASA OU AMBIENTE AINDA NÃO OCUPADO

Quando a casa ou ambiente profissional ainda não foi ocupado, o trabalho decorre da forma mais simples, pois, salvo as exceções já mencionadas, as únicas vibrações negativas ocasionadas são aquelas que resultam da presença física dos que trabalharam na própria edificação (pedreiros, encanadores, eletricistas, pintores, etc.) e pode até mesmo nem haver vibrações.

Como medida preventiva, faz-se a limpeza da seguinte forma:

Material Necessário

•Um turíbulo ou um incensário de barro;
•Incenso, mirra, benjoim, alfazema (1 pacote de cada);

- Uma vela de quarta;
- Uma pedra de carvão para incensador;
- Uma pemba branca;
- Um alguidar número 5;
- Água natural (cachoeira, mina, etc.);
- Amaci;
- Um pedaço de pano branco.

DESENVOLVIMENTO

Pega-se a pemba branca e risca-se (atrás, no chão, ou nas próprias portas da frente e dos fundos da casa, ou qualquer outra porta que tenha saída para a rua ou para o exterior) o símbolo da Umbanda, estrela de seis pontas (os dois triângulos entrelaçados).

Com a mesma pemba, traça-se no centro da casa o ponto do guia chefe de quem executa o trabalho. A seguir, coloca-se o alguidar no centro da casa. Sobre o ponto do guia chefe e dentro dele, fixa-se a vela de quarta acesa. Despeja-se com muito cuidado na aba do alguidar a água da cachoeira (ou outra água natural, não industrializada nem encanada), de forma que, quando os resíduos da vela caírem, o façam naturalmente dentro da água.

Enquanto a vela arde, fecham-se todas as portas e janelas do ambiente a ser limpo. Acende-se o defumador e principia-se a defumação do ambiente, começando pelos fundos. Durante essa operação, canta-se para os diversos Orixás e, a seguir, para a defumação (o ponto cantado é uma oração e orar é conversar com Deus). A defumação deverá realizar-se de forma tal que todo o ambiente seja alcançado. Geralmente, percorre-se cada cômodo, de canto a canto, em diagonal, tomando o cuidado de deixar móveis abertos e gavetas semiabertas para que tudo seja envolvido pela defumação. A palavra perfume deriva de defumação, ou seja, do latim *par-fumo* e dos três presentes que Jesus recebeu quando nasceu (dois eram ingredientes para defumação: incenso e mirra; daí pode-se imaginar sua importância). Ver figura (16) descritiva sobre a forma de fazer a defumação.

Não podemos esquecer de defumar as camas, pois nelas se passa um terço da vida. Iniciando pelos últimos cômodos, deve-se ir até aqueles que se situam junto à rua, percorrendo todas as dependências e incluindo na defumação os moradores da casa que se encontram presentes.

Terminada esta cerimônia, abre-se a porta de entrada (a que tiver saída para a rua) e passa-se sete vezes o turíbulo no sentido de dentro para fora, para que as cargas negativas sintam que este é o caminho a seguir, isto é, que passem para a rua.

Depois de tudo terminado, passa-se um pano limpo (branco e umedecido com água da cachoeira) para apagar o ponto riscado. Em seguida, deve-se passar outro pano com sal virgem; finalmente, usa-se o amaci.

A vela de quarta geralmente permanece acesa durante um período mais ou menos longo, por isso, é aconselhável deixar para limpar o local somente depois que a vela tiver apagado (apenas o ponto que está sob o alguidar, embora se recomende que este permaneça preferivelmente no centro do ambiente). É aconselhável que a vela seja colocada fora do alcance de correntes de ar, que precipitariam sua queima e proporcionariam resíduos desnecessários. Observar os resíduos, pois podem conter importantes revelações quanto à natureza do trabalho.

Considera-se o ambiente limpo quando não restarem senão pequenos resíduos sem maiores detalhes.

Tudo o que tenha sobrado do trabalho deverá ser depositado em um alguidar de barro, envolto em um pano branco e despachado em um rio profundo ou em um lugar onde houver pedra e mar. Os panos utilizados são entregues juntamente com o alguidar.

Devolve-se à terra tudo o que dela tiramos.

CASA QUE JÁ FOI HABITADA

Antecipadamente, consulta-se a entidade, levando-lhe o nome, endereço, etc. da pessoa que vai morar na casa. Após a determinação da entidade, se houver necessidade, faz-se uma limpeza com as entidades da esquerda. Nesse caso, utiliza-se todo o material mencionado, utilizando-se o ponto de ordem geral e de firmeza.

Ao desenhar os garfos, os dentes devem ficar com as pontas voltadas para as portas, em direção à rua. Como esta descarga deverá ser feita dentro de casa, com as portas fechadas, as pessoas que estarão fazendo a limpeza terão de ficar no local até que as velas terminem de queimar, para poder levantar o ponto e sair.

Deve-se esperar no mínimo 24 horas para depois completar o trabalho de limpeza, e não é permitido que ninguém entre na casa até ser feito o segundo trabalho.

Se a pessoa for reformar a casa, então se faz apenas a limpeza com a esquerda e, depois da reforma e antes de as pessoas entrarem na casa, faz-se a limpeza básica. Se houver necessidade, dá-se incorporação a uma entidade da esquerda. Caso contrário, fazem-se apenas os pontos atrás das portas.

A entidade poderá pedir pólvora, caso ela queira mais dinamização do ambiente. Para um melhor descarrego, pode-se riscar o ponto com a pemba embebida no curiador da entidade.

Se houver condições de saber com antecedência por meio de qual entidade negativa foi feito o trabalho na casa, poderá ser procurado, entre os irmãos ou filhos de fé, aquele em quem se tem mais confiança, que serve de intermediário a uma entidade daquela vibração e convidá-lo a participar do trabalho que, por sua vez, decorrerá com mais proveito.

Se a casa estiver sendo habitada, o procedimento deve ser de acordo com as indicações da entidade, que deverá estar a par dos problemas que afligem os moradores.

Quando se faz um trabalho com a esquerda e em local que não seja o terreiro, a pessoa deve se precaver da melhor maneira possível, dando-lhes o paô em lugar acessível ou então indo previamente ao reino dos Exus, dando-lhes sempre mais do que o necessário.

Todo filho de fé deve ter seu material exclusivo e determinado para cada trabalho. Vasilhames que foram utilizados para conter água do mar só devem ser reutilizados para esse mesmo fim; água da cachoeira igualmente e assim por diante.

O filho de fé deve se habituar com a ideia de que normalmente terá de se desfazer de alguidares ou pembas, após cada trabalho, havendo vezes até em que tomará o máximo cuidado para não quebrar um alguidar e, ao chegar ao local onde este será despachado, será necessário estilhaçá-lo completamente.

NOTA

Em caso de extrema necessidade (só mesmo em caso de emergência) o ponto feito para o Exu será levantado antes que as velas possam terminar de queimar.

Se isso acontecer, em primeiro lugar pede-se maleme[5], apagam-se as velas, recolhe-se tudo e se limpa o local com um pano embebido em sal grosso.

Todo esse material estará inutilizado e deverá ser entregue assim como está. Em seguida, deve-se comprar tudo novo para um segundo trabalho, que deverá ser feito com a máxima urgência, se possível, aumentando o número de oferendas.

DESCARGA SIMPLES DE UMA CASA

MATERIAL NECESSÁRIO

•Um alguidar número 3;
•Uma vela de quarta (ou mais);
•Um defumador Espiritual;
•Um defumador Abre Caminho;
•Carvão (o suficiente);
•Água de cachoeira (o suficiente).

DESENVOLVIMENTO

A vela de quarta deverá ser fixada no centro do alguidar, onde também será colocada a água da cachoeira (ou outra qualquer, desde que seja

---

5. Maleme significa licença.

natural). Em seguida, deve-se localizar o ponto central da casa (aproximadamente). Neste local, deverá ser colocado o alguidar, não se esquecendo de proteger o chão para não manchar. A vela de quarta deve ser acesa e, em seguida, faz-se a defumação da casa. Essa vela deve permanecer acesa no mínimo 24 horas. Se terminar uma, outra deve ser acesa imediatamente, no mesmo local.

Para a defumação, que deverá ser feita durante três dias consecutivos, deve-se proceder da seguinte maneira:

Reduzir a pó um tablete do defumador Abre Caminho e um tablete do defumador Espiritual e, em seguida, juntar o pó desses dois defumadores.

Incensar bem a casa, começando pelos fundos, vindo para frente. Ao chegar à porta de entrada, esta deverá ser aberta e o incensador deverá passar de dentro para fora sete vezes e ser colocado no chão para que a mistura acabe de queimar.

Abrem-se todas as portas e janelas.

Não se deve esquecer de cantar pontos ou orar enquanto se defuma a casa.

Os resíduos das velas (ou da vela) deverão ser guardados para a verificação do axé e de que forma se desenrolou o trabalho.

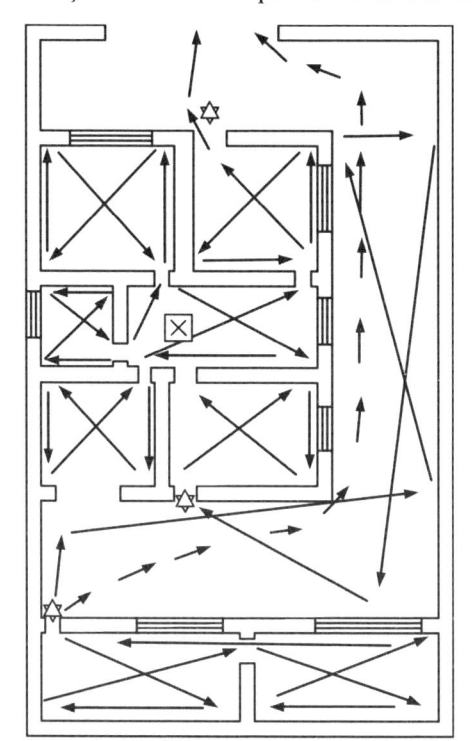

Símbolo da Umbanda = ✡
Símbolo do Guia Chefe = ☒

Figura 16: Esquema de defumação de uma casa.

O Trabalho de Sacudimento na Umbanda

Por ser Obaluaiê considerado o "médico dos pobres", costumamos socorrer as pessoas espiritualmente doentes com trabalhos voltados a esse Orixá.

Na maioria das vezes, as pessoas são conduzidas a um terreiro de Umbanda quando já foram esgotados todos os recursos da medicina. Algumas vezes, o próprio médico pede para que o paciente procure um centro espírita, pois os seus recursos já foram todos utilizados.

Geralmente, essas pessoas chegam a um templo de Umbanda muito perturbadas e sofrendo o assédio dos obsessores. Nesses casos são necessários trabalhos de desobsessão, trabalhos especiais de limpeza e banhos de ervas.

Um desses trabalhos especiais é o "sacudimento", trabalho voltado a Obaluaiê. Por meio do sacudimento é retirada a doença espiritual do paciente.

Material Necessário

- Milho de pipoca estourada, sem sal, no azeite de dendê;
- Um alguidar número 3;
- Um pedaço de pano branco (aproximadamente 1,5 x 1,5 metro) de algodão;
- Um pedaço de pano preto (aproximadamente 1,5x 1,5 metro) de algodão;
- Uma pemba branca;
- Sete velas brancas ou brancas e pretas (cruzadas);

Sequência do Trabalho

No dia marcado para o trabalho, a pessoa não poderá comer carne, ingerir álcool ou praticar sexo (de preferência 24 horas antes).

Com a presença do mentor espiritual (o Preto-Velho) inicia-se o trabalho.

Risca-se em frente ao congá, o ponto respectivo de Obaluaiê, o cruzeiro das almas ou a estrela de seis pontas com o cruzeiro no centro.

Figura 17: Ponto de Obaluaiê e estrela de seis pontas com o cruzeiro no centro.

Coloca-se o pano preto (isolante de vibrações) sobre o ponto e a pessoa em cima do pano.

Depois, coloca-se o pano branco sobre a cabeça da pessoa e, na frente dos seus pés, sobre o pano preto, coloca-se o alguidar. Com os ogãs cantando pontos de Obaluaiê iniciam-se os trabalhos, com muita firmeza de todos os presentes e com a orientação do Preto-Velho. Derrama-se a pipoca sobre a pessoa doente dizendo-se a Obaluaiê as seguintes palavras:

Corre gira sobre a terra e sobre o mar retirando todo o mal, toda doença que você tem, com as flores de Obaluaiê.

Isso deve ser feito sete vezes, repetindo-se sempre as mesmas palavras. Terminada essa parte, pede-se que a pessoa saia do ponto (sempre do lado direito) e, em seguida, retira-se o pano branco de sua cabeça, colocando-o sobre o alguidar, que estará em frente à pessoa, sobre o ponto.

Após a limpeza, procura-se recolher as pipocas que caíram fora do pano preto e, com muito cuidado, colocá-las dentro do alguidar. Cuidadosamente, varrem-se, com um pedaço de pano branco ou com um feixe de vassourinha de Nanã, as pipocas que caíram fora do pano preto. Retira-se o pano branco que está dentro do alguidar e despejam-se as pipocas nele.

Feita esta parte, coloca-se o pano branco sobre o ponto riscado no chão e, no centro desse pano, o alguidar com as pipocas, amarrando-o como se fosse uma trouxa. Em seguida, coloca-se o pano preto sobre o alguidar (que já está amarrado com o pano branco), fazendo outra trouxa.

O pano preto vem por último, por ser isolante. Depois que se isolou o alguidar, ele é colocado no centro do ponto e o Preto-Velho, incorporado no médium, acende as sete velas brancas (ou pretas e brancas) ao redor do ponto, invocando Obaluaiê.

O trabalho terá seu final quando as velas terminarem de queimar. As sobras das velas serão descarregadas em água corrente. Dependendo do caso da pessoa doente, o Preto-Velho orientará sobre o local onde será entregue o trabalho de sacudimento: no cruzeiro das almas, nas encostas do mar ou em um rio de corredeira. Quando se entregar o trabalho, deve-se saudar Obaluaiê:

Atotô, Obaluaiê!

Após o trabalho de sacudimento, a pessoa doente deverá submeter-se, no mínimo, a cinco banhos de defesa com as seguintes ervas: cipó-cruz, tapete-de-oxalá, rosas brancas miúdas, capim-rosário, arruda, guiné, cipó-cruzeiro, etc. Devem ser usadas, no mínimo, três dessas ervas, que depois de fervidas e usadas deverão ser descarregadas em água corrente.

NOTA IMPORTANTE

Este trabalho só poderá ser realizado por médiuns devidamente preparados e que estejam em perfeitas condições espirituais. Geralmente, esses trabalhos são feitos por Babalaôs ou Babás.

O que Fazer com um "Despacho" em sua Porta?

Muitas vezes, as pessoas nos questionam a respeito dos "despachos" que aparecem em suas portas. Damos a seguir algumas orientações sobre como proceder nesses casos:
• Em hipótese alguma se deve tocar diretamente com as mãos no despacho. Isso evita a absorção direta das vibrações negativas;
• Não jogar urina, nem sal grosso, em cima do despacho, pois essa atitude fixará ainda mais o trabalho, já que o sal é um "elemento terra";
• No caso da pessoa em questão ser um médium preparado, pede-se licença a sua entidade negativa e pega-se diretamente com as mãos;
• Se a pessoa for leiga, deve chamar um médium preparado. Não sendo possível, deve envolver o material em um pano preto ou saco de lixo preto, ou ainda, em último caso, em jornais.
• Não tocar diretamente com as mãos. Use dois pedaços de madeira ou envolva as mãos com pano preto.

Feito isso, leve tudo ao pé da imagem de Obaluaiê, no Santuário da Umbanda ou na mata, o mais rápido possível. Depois, lave o local onde estava o trabalho, com bastante água e, se possível, com um pouco de amaci. Para finalizar, faça um banho de defesa.

Na primeira oportunidade, visitar o terreiro e conversar com uma entidade espiritual a respeito do ocorrido.

DATAS COMEMORADAS NA UMBANDA

Publicado em 27/01/1980, na *Gazeta do Grande ABC* por Ronaldo Linares.

20/01 - São Sebastião – Oxóssi.
23/04 - São Jorge – Ogum.
13/05 - Pretos-Velhos.
24/06 - São João Batista – Patrono da Falange do Oriente.
26/07 - Sant'Ana – Nanã Buruquê.
15/08 - Nossa Senhora da Glória – Iemanjá.
27/09 - São Cosme e São Damião – Ibejis.
30/09 - São Jerônimo – Xangô.
02/11 - Dia dos Mortos – Obaluaiê – São Lázaro.
15/11 - Dia da Umbanda.
04/12 - Santa Bárbara – Iansã.
08/12 - Imaculada Conceição – Oxum.
25/12 - Natal de Oxalá.

Hino à Umbanda

J. M. Alves

Refletiu a Luz Divina em todo o seu esplendor
É do reino de OXALÁ onde há paz e amor
Luz que refletiu na terra
Luz que refletiu no mar
Luz que veio de Aruanda
Para tudo iluminar.
Umbanda é paz e amor
É um mundo cheio de Luz
É a força que nos dá vida
E a grandeza nos conduz.
Avante filhos de fé
Como a nossa lei não há
Levando ao mundo inteiro
A bandeira de OXALÁ.

JURAMENTO DO UMBANDISTA

Ronaldo Linares

Ao abraçar a fé UMBANDISTA,
Eu juro solenemente,
Perante "DEUS E OS ORIXÁS,
Aplicar os meus dons de mediunidade somente para o bem da humanidade.
Reconhecer como irmãos de sangue, os meus irmãos de crença,
Praticar com amor a caridade,
Respeitar as leis de "DEUS" e as dos homens, lutando sempre pela causa da JUSTIÇA E DA VERDADE.
Não utilizar e nem permitir que sejam utilizados os conhecimentos adquiridos num terreiro, para prejudicar a quem quer que seja.

HIERARQUIA UMBANDISTA

O TERREIRO

Para que um terreiro possa obter filiação junto a uma Federação ou Associação e, por conseguinte, o registro e a licença de funcionamento, deve ter inicialmente uma diretoria constituída.

Essa diretoria é formada pelo presidente, vice-presidente, secretário, tesoureiro e pelo Diretor Espiritual (Babalaô, Babalorixá, Ialorixá ou Babá).

O Diretor Espiritual é o mais alto mandatário do terreiro. Ele ou as suas entidades indicam um médium e uma médium para exercerem as funções de Pai Pequeno e Mãe Pequena que são seus dois auxiliares diretos. Na ausência do Diretor Espiritual, o Pai Pequeno ou a Mãe Pequena assumem a responsabilidade do terreiro.

Logo após, na escala hierárquica, temos os médiuns de incorporação e os cambonos que auxiliam as entidades incorporadas, anotando receitas, banhos e defumações e ainda servindo de intermediários entre a entidade e o consulente.

Temos ainda dentro do terreiro, os frequentadores (umbandistas ou não), sendo que alguns deles atuam como colaboradores, distribuindo fichas, organizando a entrada de consulentes, etc.

Nas obrigações e nos rituais, os médiuns ou cambonos que auxiliam o Diretor Espiritual recebem a denominação de ogãs. Os atabaqueiros recebem o nome de ogãs de couro.

OS PASSOS DO MÉDIUM DE INCORPORAÇÃO

O médium de incorporação que almeja ser um Diretor Espiritual deve passar por várias etapas.

Vamos citar o exemplo da F.U.G.A.B.C. que ministra cursos regulares, com duração de 2 anos, para a formação de SACERDOTES DE UMBANDA. Nesses cursos, o médium participa de aulas teóricas sobre o nascimento da Umbanda, os rituais, sacramentos, etc. Além disso, participa de aulas práticas dentro do terreiro da F.U.G.A.B.C.

Simultaneamente, o médium dá as obrigações relativas aos Orixás da Umbanda (dez ao todo). Após essas obrigações, ele está apto a dar a obrigação a Exu, tornando-se um Babalorixá ou Ialorixá. Querendo ainda galgar mais um degrau, ele aprende a arte e a magia do "JOGO DE BÚZIOS" e posteriormente dá a obrigação a "IFÁ". A partir daí, ele se torna um Babalaô ou Babá.

No Congresso Paulista de Umbanda, em 1982, foi aprovado o termo PAI OU MÃE ESPIRITUAL para simplificar todos os termos anteriores.

ASPECTOS SOCIAIS DA RELIGIÃO UMBANDISTA

> *As tendas de Umbanda, que de mais em mais se multiplicam e se engrandecem, realizam um trabalho grandioso de assistência social, moral, espiritual e material em favor das centenas de milhares de criaturas que para elas afluem, pertencentes a todas as classes e de todos os níveis mentais.*
>
> (João Severino Ramos)

A Umbanda se caracteriza por uma ampla base de caridade material e espiritual. Nesses termos, podemos conceituar este movimento religioso como um grande empreendimento social.

Em um meio de iniquidades e outros problemas que afligem a humanidade, a Umbanda constitui-se um lenitivo que ajuda a amenizar o carma do homem.

Toda religião postula uma melhoria social, pela Justiça Divina, pela bondade do homem e pelo amor, já que só por este o homem pode se religar a Deus.

As primeiras manifestações sociais, em relação a Deus, surgiram com Moisés pregando a benevolência com o pobre e a compaixão com o elemento estrangeiro, combatendo o egoísmo reinante na época. O código de Moisés mesclava a justiça com clemência, ou seja, esse código pontificava o conceito humanista do amor ao próximo.

A Bíblia nos mostra que, desde os tempos remotos, todos os profetas abraçavam a causa dos humildes. Zoroastro na Pérsia, Buda na Índia, são exemplos da pregação do amor ao próximo. Com Jesus, solidificou-se o sentido humanitário e social do bem ao próximo. Esses princípios regeram todas as filosofias religiosas contemporâneas ou neles se fundiram com os seus postulados.

Concluímos então que foi da religião que nasceu o sentido social da ajuda ao homem necessitado perpetuando a justiça, a clemência e o amor, pois todos precisam da caridade material e espiritual.

As condições do homem e de sua família foram envolvidas pela coletivização das massas e fracionamento da humanidade em função dos agrupamentos industriais e concentrações operárias. Sendo assim, surgiram vários problemas de desamparo e desajuste, agravados pela materialização e imediatismo da luta pela sobrevivência, colocando-se de lado os princípios humanitários da justiça e do amor ao próximo, fazendo ressaltar a necessidade latente da religião na sociedade.

A religião umbandista participa ativamente dos propósitos dos serviços sociais, já que existem problemas que não podem ser transferidos, nem às entidades de assistência social nem aos órgãos governamentais, porque dependem do poder maior que se manifesta por meio dos mensageiros divinos, os maravilhosos e bondosos guias espirituais.

É necessário compreender a Umbanda, no seu aspecto caritativo, em um sentido amplo que abrange a caridade espiritual praticada pelos guias espirituais e a caridade material que pode ser praticada por todos.

No sentido espiritual, podemos dizer que a Umbanda é um "Pronto-Socorro Espiritual". É comum, nas tendas de Umbanda, vermos pessoas chegarem aos trabalhos com sérios problemas e ao término do atendimento espiritual, essas pessoas apresentam, na pior das hipóteses, um alento, um conforto para os seus problemas. Muitas delas chegam obsedadas e, quando submetidas a um "transporte espiritual", apresentam um aspecto completamente diferente, mostrando a eficiência de um trabalho umbandista. Simultaneamente, os espíritos obsessores são instruídos e encaminhados, pelos guias espirituais, para escolas de doutrinação e aperfeiçoamento espiritual do espaço (colônias espirituais como cita André Luiz no livro *Nosso Lar*) para que possam conquistar a sua luz.

Materialmente, a Umbanda vai aos poucos se firmando e organizando também como um meio de amenizar determinados problemas que afligem o ser humano.

Em médio prazo, a Umbanda pode se firmar na assistência social, proporcionando assistência médica e odontológica, fornecimento de remédios, atendimento psicológico, atendimento aos idosos e órfãos, etc. Isso é possível porque, com o passar do tempo, as classes culturais mais elevadas, tais como professores, médicos, dentistas, psicólogos, assistentes sociais, empresários, etc., vão se aproximando cada vez mais da causa umbandista e também da própria religião.

Muita coisa útil já se pode notar na atualidade, como benefícios sociais na Umbanda. Podemos citar como exemplo a Federação Umbandista do Grande ABC, que por meio de Ronaldo Linares, promove cursos regulares nos quais se esclarecem os médiuns acerca dos aspectos históricos (raízes da religião), rituais, obrigações e outros assuntos pertinentes ao Terreiro de Umbanda, proporcionando um esclarecimento ao umbandista para que possa agir corretamente, dentro dos trabalhos religiosos.

Podemos verificar, ainda, alguns terreiros promovendo a distribuição de alimentos e roupas a creches, orfanatos, asilos e outras entidades assistenciais.

Os terreiros vão, na medida do possível, escolhendo o que podem realizar com maior desempenho e satisfação.

Em sua palestra proferida na União Espírita de Umbanda do Brasil, em 26 de julho de 1962 (na qual nos fundamentamos para escrever este tema), Cavalcanti Bandeira ressalta a necessidade da filiação da Tenda ou Terreiro a uma Federação e que os estatutos devam ser separados, visando um deles, ao ritual de culto e o outro ao serviço assistencial e cultural, para que possa receber ajuda governamental.

Percebe-se que a Umbanda caminha para o bem perene e que procura incentivar o aperfeiçoamento moral, sob a valiosa orientação esclarecedora dos guias, que nos ensinam, humildemente, o caminho desse aperfeiçoamento moral pela renúncia, pelo amor ao próximo e pela ajuda aos necessitados.

Reproduzimos a seguir o discurso apresentado por Diamantino Fernandes Trindade na solenidade de formatura de sacerdotes da Federação Umbandista do Grande ABC, em agosto de 1982, e que fala sobre a caridade:

"Pai Ronaldo, Dona Zélia de Moraes, Dona Zilméia da Moraes, nossos amigos da Tenda Nossa Senhora da Piedade, autoridades presentes, senhores formandos, membros do conselho de culto e todos os presentes.

Em primeiro lugar quero agradecer a comissão de formatura por ter-me honrado com a escolha do meu nome para orador do 11º e 12º barcos da F.U.G.A.B.C. Como nós sabemos, a Umbanda é a manifestação do Espírito para a caridade. Sendo assim, não caberia melhor outro tema, na formatura de Sacerdotes de Umbanda, a não ser a caridade, pois toda religião e toda moral se encerram em dois preceitos:

'Amemo-nos uns aos outros' e 'façamos aos outros o que gostaríamos que nos fosse feito'.

Muitas vezes, interpreta-se a caridade como uma maneira de amenizar materialmente os sofrimentos de nossos semelhantes. É comum ouvir o seguinte: 'Se não tenho o necessário para mim, como posso praticar a caridade?'

A caridade pode ser praticada de várias maneiras. É preciso, então, compreender o que é a caridade moral, que todos podem praticar e que nada custa materialmente, mas que, na realidade, é a mais difícil de praticar.

Quem pratica a verdadeira caridade não pode se incomodar com as falhas alheias. É preciso lembrar que o Nosso Mestre Jesus disse que somos todos irmãos. Devemos, então, pensar nisso antes de repelir alguém que necessita de uma palavra amiga, de um conforto moral. Precisamos aprender a ceder em favor de muitos para que alguns intercedam em nosso benefício nas situações desagradáveis.

Muitas vezes, a falta de caridade fica patente nos terreiros. É comum ouvirmos as comparações desnecessárias entre filhos de fé, tais como:

'O meu Caboclo é enorme e faz trabalhos maravilhosos.'

'O meu Baiano é muito forte e quebra todas as demandas.'

Meus irmãos, na realidade, o que precisa ser enorme é a moral do médium e o que precisa ser forte é a nossa vontade de ajudar as pessoas que vão a um terreiro para amenizar os seus males. As comparações mostram sempre uma falta de humildade e nos tornam presunçosos ou magoados, pois encontraremos sempre alguém inferior e alguém superior a nós e quem não tem humildade, não pode praticar a caridade.

Existe uma frase antiga que diz: 'Quando o discípulo está pronto, o mestre aparece'. E, nesta época de muitos deuses e poucas crenças, nós tivemos a felicidade e o privilégio de ter como mestre o Pai Ronaldo Linares.

'Dai de graça o que de graça recebestes.'

'A quem muito foi dado, muito será pedido.'

Essas duas máximas nos dizem respeito diretamente, pois se alguém não tem desculpas para não praticar corretamente a caridade dentro e fora da Umbanda, somos nós, pois o nosso mestre é o Pai Ronaldo ele nos mostra como isso é possível, transmitindo-nos os ensinamentos de Zélio de Moraes, do Caboclo das Sete Encruzilhadas e do Pai Antonio.

Quero neste instante fazer um pedido a Deus, Nosso Senhor e Nosso Pai.

Permita que:
A experiência de Obaluaiê e Nanã
A justiça de Xangô
A força de Ogum e Iansã
A vitalidade e pureza de Oxóssi
A doçura e a calma de Iemanjá e a Oxum
A alegria de Cosme e Damião
A humildade dos Pretos-Velhos

E a Luz de Nosso Mestre Jesus estejam sempre presentes em nossos caminhos.

Permita que possamos entender que é importante recorrermos aos irmãos de esquerda para desmanchar o mal.

Permita que possamos entender que é importante alimentar a força do espírito, pois ela nos protegerá no infortúnio inesperado.

Muito obrigado, meus irmãos".

JORNAL *A CARIDADE*

Os periódicos umbandistas tiveram origem também na Tenda Nossa Senhora da Piedade. O conceituado escritor Leal de Souza, frequentador da Tenda Nossa Senhora da Piedade e redator-chefe do jornal *A Noite*, do Rio de Janeiro, publicou uma série de artigos sobre Espiritismo, no ano de 1932, no jornal *Diário de Notícias*. Muitos desses artigos eram relativos à sua vivência com o sr. Zélio de Moraes e o Caboclo das Sete Encruzilhadas.

Em 1939, Zélio de Moraes fundou o *Jornal de Umbanda*. Em 1956, a Tenda Nossa Senhora da Piedade lançava seu boletim mensal *A Caridade*. Reproduzimos, a seguir, a primeira página do primeiro número desse boletim.

BOLETIM MENSAL DA TENDA N. S. DA PIEDADE

A CARIDADE

ANO I | D. F. — JUNHO DE 1956 — | NÚM. 1

O QUE É
A FRATERNIDADE SOCIAL TIANA
E O QUE SE PROPÕE REALIZAR

Caros Irmãos

A idéia de cooperação que resultou da criação da FRATERNIDADE SOCIAL TIANA, em tão boa hora lembrada por um grupo de amigos e filhos do CABOCLO DAS SETE ENCRUZILHADAS, tem por finalidade precípua continuar no terreno material, a caridade espiritual, que a TENDA N. S. DA PIEDADE vem prestando ininterruptamente nesta cidade, a milhares de pessoas, durante 48 anos de sacrifícios e renúncias, por intermédio do nosso boníssimo e incansável amigo, sr. ZÉLIO e sua Exma. Família.

Esta cooperação a que já nos referimos, será realizada através de campanhas financeiras e de tudo aquilo que possamos conseguir com a colaboração indispensável dos associados, frequentadores desta Tenda e demais pessoas, cujo espírito caritativo permita compreender, como esperamos, a finalidade humanitária desta idéia.

Vencida esta primeira etapa, de cujo êxito não temos dúvidas, visto o alto espírito de boa vontade que caracteriza o nosso povo, que é de boa índole, nos propomos dar gratuitamente, a todos aquêles que nos solicitarem e que reconhecidamente necessitarem: assistência médica, dentária e jurídica; medicamentos; víveres; objetos de uso pessoal; internamentos de enfêrmos nos hospitais; colocação de pessoas; brinquedos às crianças nas épocas próprias; internamentos de menores nos colégios; etc. Enfim, tôda e qualquer ajuda que nos forem solicitadas.

Outrossim, devo informar aos caros irmãos, que formam a grande e harmoniosa família da casa do CABOCLO DAS SETE ENCRUZILHADAS, que a FRATERNIDADE SOCIAL TIANA, foi criada para cooperar em todos os sentidos, nas realizações da TENDA N. S. DA PIEDADE, sempre de comum acôrdo com a diretoria, nos grandes encargos que a ela estão afetos, conforme aprovação do nosso querido Chefe, CABOCLO DAS SETE ENCRUZILHADAS.

Finalmente, peço-vos, caros irmãos, permissão para vos fazer esta advertência: PENSEMOS UM POUCO MENOS EM NÓS E UM POUCO MAIS EM NOSSOS SEMELHANTES, e teremos, assim, realizado a vontade da nossa inspiradora: TIANA.

Umbanda é a montanha
Que todos terão que galgar.
Muitos serão os chamados
Poucos conseguirão chegar!

Saravá TIANA e sua Bendita Falange de Amor e Caridade

Preces

PRECE DE CÁRITAS

Deus, nosso Pai, que sois todo poder e bondade, dai força àquele que passa pela provação; dai a luz àquele que procura a verdade; ponde no coração do homem a compaixão e a caridade. Deus! Dai ao viajor a estrela guia; ao aflito, a consolação; ao doente, o repouso. Pai! Dai ao culpado o arrependimento; ao Espírito, a verdade; à criança, o guia; ao órfão, o pai. Senhor! Que vossa bondade se estenda sobre tudo que criastes. Piedade, Senhor, para a aqueles que não vos conhecem; esperança para aqueles que sofrem. Que a vossa bondade permita aos espíritos consoladores derramarem por toda parte a paz, a esperança e a fé. Deus! Um raio, uma faísca de vosso amor pode abrasar a terra; deixai-nos beber nas fontes dessa bondade fecunda e infinita e todas as lágrimas secarão, todas as dores se acalmarão. Um só coração, um só pensamento subirá até vós, como um grito de reconhecimento e de amor. Como Moisés sobre a montanha, nós vos esperamos com os braços abertos, oh! Poder!, oh! Bondade, oh! Beleza, oh! Perfeição, e queremos de alguma sorte alcançar a vossa misericórdia.

Deus! Dai-nos a força de ajudar o progresso a fim de subirmos até vós; dai-nos a caridade pura; dai-nos a fé e a razão; dai-nos a simplicidade que fará de nossas almas o espelho onde se refletirá a vossa divina imagem.

ORAÇÃO AO SENHOR

Ronaldo Linares

Senhor de infinito amor, de paz e de misericórdia.

No templo universal do espiritualismo, diante do altar de minha consciência limpa, tendo ante os meus olhos a imagem de Deus e trazendo no coração o ideal da caridade, com respeito e humildade dirijo-me a Vós neste dia que amanhece.

Operário de Vossa seara bendita quero espargir o aroma do incenso e da mirra, como o fizeram há quase dois mil anos os magos do Oriente em Belém, ante o Menino-Deus. E que neste ambiente, assim purificado, possam baixar os espíritos de nossos irmãos do Além.

Senhor dos espaços, enviai vossos guias iluminados para que nos orientem e auxiliem na missão de bem fazer ao próximo.

Sirva a luz desta vela que acendemos como marco de referência para que saibam os mensageiros do Senhor sobre quais cabeças derramar suas bênçãos e para que a água aqui depositada, ao receber seus fluídos regeneradores, possa ser o remédio para o enfermo, o lenitivo para o desesperado e a consolação para o aflito.

Que todo aquele que traz limpa sua consciência, que crê em Deus e nos guias espirituais possam, ao tomar desta água abençoada, recuperar-se de seus males físicos, mentais e espirituais; que possam ter forças para vencer as dificuldades desta jornada terrena; que possam ver-se livres das maldades, da inveja e da calúnia e que possam contar com a luz da espiritualidade para iluminar seus caminhos.

Que todo irmão que tiver participado desta corrente de espiritualidade, que tiver tomado da água fluida ou tiver aspirado o incenso sagrado possa ser envolvido pelo positivismo e que tenha um dia de paz, de amor e de prosperidade na graça de nosso Soberano Deus.

ORAÇÃO DE SÃO FRANCISCO DE ASSIS

Senhor, fazei de mim um instrumento de vossa paz. Onde houver ódio, permita que eu semeie o amor. Perdão, onde houver injúria. Fé, onde existir a dúvida. Esperança, onde houver desespero. Luz, onde houver escuridão. Alegria, onde houver tristeza.

Oh! Divino Mestre, permita que eu não procure tanto ser consolado, quanto consolar. Ser compreendido, quanto compreender. Ser amado, quanto amar.

Porque é dando que se recebe. É perdoando que somos perdoados. E é morrendo que nascemos para a VIDA ETERNA.

PRECE PARA ABERTURA DOS TRABALHOS

Edison Cardoso de Oliveira

Senhor, meu Deus e meu Pai.

Permita que mais uma vez possamos nos reunir diante de vosso altar sagrado.

Que a radiação da luz de Oxalá transmita aos nossos trabalhos a luz e a fé.

Que cada filho de fé e irmãos simpatizantes recebam essa radiação como uma bênção divina, que permitirá enfrentar a vida e os obstáculos que ela nos oferece com o otimismo e perseverança.

Que a força de cada Orixá cultuado na Umbanda possa nos enviar o axé espiritual de que necessitamos para poder vencer o plano inferior.

Que os espíritos puros e purificados nos enviem todas as inspirações de que necessitamos na nossa jornada de trabalho.

Que os nossos guias, por meio de nosso corpo físico, possam auxiliar os irmãos carentes dos conhecimentos de Nosso Pai.

Que cada pedido feito pelos nossos irmãos necessitados possa ser atendido e aceito por Vós.

Obrigado por ter tanto que agradecer e pouco que pedir.

Lembrete ao Irmão de Fé

Se você for umbandista, assuma a sua religião com toda seriedade. Não a esconda por sentir vergonha de dizer: "sou umbandista".
Todos devemos aceitar a religião que abraçamos com dignidade e respeito.
Quantos gostariam de ser médiuns e não têm a condição mediúnica?
Assuma, pois, com todo respeito e humildade e diga com convicção: "Eu sou umbandista".

Tu Sabes o que é Caridade?

Caridade é...
Apartar a pedra do caminho
Para que ninguém nela venha tropeçar;
Preparar o espírito
Para ajudar a qualquer momento;
Não te maldizer daquilo que não te parecer justo;
Não esperar que o necessitado te procure, vá ao encontro dele;
Perdoar sempre, humilhar nunca;
Não praticar atos contrários à consciência universal;
Não falar mal de ninguém; servir sempre e de boa vontade!

Extraído do segundo número do boletim *A Caridade*, da Tenda Nossa Senhora da Piedade (julho de 1956).

POR QUE SOU UMBANDISTA?

Na Umbanda, aceitam-se adeptos de todos os cultos religiosos;
Na Umbanda, não há privilégio nem preconceitos sobre cor, raça ou religião;
Na Umbanda, não há intolerância religiosa;
Na Umbanda, o dinheiro não tem o poder de salvar ninguém;
Na Umbanda, a caridade não é limitada;
Na Umbanda, não se faz da caridade mercadoria: dá-se de graça o que de graça se recebe;
Na Umbanda, a caridade é pura; está próxima de Deus!

Extraído do segundo número do boletim *A Caridade*, da Tenda Nossa Senhora da Piedade (julho de 1956).

Luz Divina

Diamantino Fernandes Trindade

MENSAGEM AOS UMBANDISTAS

Sois portadores de uma luz muito especial. Uma luz intensa que emite gloriosos raios de paz e caridade. A luz que cada um de vós emite, isoladamente, tem pouco alcance. Porém, quando essa luz se une à luz de outros irmãos, ela se torna mais radiante e possui alcance ilimitado. Fiquem atentos à luz que vos foi confiada, pois ela iluminará a vossa consciência e o seu calor servirá como bálsamo para aqueles que a vós recorrerem em busca de auxílio espiritual. Não permitam que essa luz perca a intensidade pela vaidade, pelo orgulho e falta de caridade. E que a luz brilhante de Nosso Mestre Jesus permaneça sempre intensa em vossos corações.

O Centenário da Umbanda

Em 15 de novembro de 2008, comemorou-se o centenário de fundação da Umbanda. A Tenda Nossa Senhora da Piedade lançou suas sementes no solo fértil do Brasil e, hoje, possui mais de 40 milhões de adeptos, inclusive em outros países. Muitas homenagens e solenidades marcaram essa data de júbilo para os umbandistas.

Queremos registrar, neste último capítulo, a nossa homenagem à Tenda Nossa Senhora da Piedade e ao centenário da Umbanda, mostrando duas fotos de uma sessão nessa casa de caridade, onde ainda aparece a mesa de trabalhos. Devemos lembrar que a Umbanda nasceu em uma mesa kardecista e manteve algumas de suas práticas durante vários anos. Encerramos com a foto de Dona Zilméia de Moraes, que, aos 93 anos, continua trabalhando na Cabana de Pai Antonio. Ela desencarnou em 16 de setembro de 2010.

Figura 18: Sessão de trabalhos na Tenda Nossa Senhora da Piedade.

Figura 19: Zélio de Moraes sendo homenageado na Tenda Nossa Senhora da Piedade.

Figura 20: Dona Zilméia de Moraes.

Iniciação

Iniciar-se é envergar a túnica da humildade
Iniciar-se é servir primeiro antes de ser servido
Ser iniciado é calar para que os outros falem
Não querer ser mais do que ninguém, ser sempre abnegado
Ser sempre conciliador e de todas as formas buscar a reunião dos antagonismos
Buscar na união dos opostos, o elo perdido
Isso é que é ser iniciado.

O iniciado é o que tem consciência de saber onde põe a mão, por que põe a mão, com que finalidade vai colocar a outra mão, se precisar, e como tira as duas mãos.

O iniciado é aquele que entende que está se renovando, renovando o outro, está se aprimorando, aprimorando o outro.
Isso é ser iniciado.

Que todos possam se iniciar na própria vida, aprendendo a serem médiuns, aprendendo a colher o fruto na hora certa.

O Guardião.